선생님이 만든

좔좔 글읽기

2권 노래랑 일기랑

선생님이 만든 **좔좔 글읽기** 

2권 노래랑 일기랑

초판 1쇄 2014년 9월 20일
초판 13쇄 2024년 3월 4일

지은이 서울경인특수학급교사연구회

펴낸이 방영배
디자인 신정난
펴낸곳 다음생각

주소 경기도 고양시 일산동구 중앙로 1261번길 19 호수광장빌딩 204호
전화 031-903-9107 **팩스** 031-903-9108 **이메일** nt21@hanmail.net
출판등록 2009년 10월 6일 제406-2510020090000124호
인쇄 온크씨엔피 **종이** 월드페이퍼
ISBN_(전 3권) 978-89-98035-34-1 (64700)

※ 책값은 표지 뒤쪽에 있습니다.
※ 파본은 본사와 구입하신 서점에서 교환해 드립니다.

책이 나오기까지

<서울경인특수학급교사연구회>는 통합교육과 특수교육의 여건이 제대로 마련되지 않았던 90년대 초에 서울, 경기, 인천의 초등학교 특수학급 교사들이 모인 이래 지금까지 계속되고 있는 연구 모임입니다. 그동안 함께 모여 공부하고 올바른 교육의 방향에 대해 고민하면서 새로운 통합 프로그램 등을 만들어 보급해 왔습니다. 어떻게 하면 좋은 수업을 할 수 있을지 연구하여 여러 가지 수업 자료를 개발하기도 했습니다. 『선생님이 만든 좔좔 글읽기』도 이런 고민과 연구 과정을 거쳐 나온 책입니다.

읽기를 배우는 데 오랜 시간이 걸리는 아이들의 경우 좋은 교재와 다양한 방법으로 가르쳐야 함에도 마땅한 자료와 프로그램이 없어 고민이 많았습니다. 그래서 연구회 교사들은 2010년부터 국어 교육에 관한 연수를 들으며 국어 교육과정을 분석하고 국어의 각 영역별 목표 체계를 정리했습니다. 회원들이 각자의 국어 수업 사례를 발표하며 좋은 국어 수업 방법에 대해 고민한 끝에 2012년에 읽기 이해력 향상을 위한 자료를 만들었습니다. 총 25명의 현장 교사들이 직접 글을 쓰고, 읽기 이해 문제와 관련 활동지를 만들었습니다. 이 읽기 교재를 수업에 활용해 보니 아이들이 흥미 있게 수업에 참여하고 독해력이 향상되는 것을 알 수 있었습니다. 그동안 아이들에게 맞는 자료를 일일이 수정해 만드느라 애썼던 선생님들도 이 자료를 활용해 훨씬 수월하게 활동적인 수업을 할 수 있었다고 합니다.

이 책을 출판하기까지 많은 시간과 노력이 필요했습니다. 그 과정에서 여러 사람들에게 도움을 받았습니다. 덕원예고에서 미술을 전공하는 학생들이 약 1,200컷의 그림을 정성껏 그려 주어 책의 내용이 더욱 풍부해졌습니다. 그리고 도서출판 <다음생각>에서 의미 있는 결정을 내려 준 덕분에 이 책이 만들어질 수 있었습니다. 자원봉사로 수고해 준 덕원예고 학생들과 편집 작업에 애써 준 <다음생각> 출판사 분들께 깊은 감사를 드립니다.

여러 아이들의 다양한 특성에 맞는 단 하나의 교재란 있을 수 없습니다.
다만 『선생님이 만든 좔좔 글읽기』가 특수학급, 특수학교, 또 다른 교육 현장에서 국어 수업을 좀 더 풍요롭게 할 수 있는 자료가 되면 좋겠습니다. 아이들이 이 책으로 재미있게 공부할 수 있기를 바랍니다.

서울경인특수학급교사연구회

책의 특징

우리나라 아이들은 일찍부터 한글을 배우기 시작하여 초등학교에 들어가기 전에 이미 글을 줄줄 읽는 경우가 많습니다. 이를 반영하듯 초등학교 국어 교과서는 처음에 낱자 학습 및 단어 읽기를 다루다가 난이도가 급격히 높아집니다. 1학년 1학기 말쯤 되면 실제로 10문장 이상의 긴 글을 읽을 수 있어야 수업을 따라갈 수 있습니다. 한글을 깨치지 못한 상태로 입학하는 아이들의 경우 국어 수업에서 어려움을 겪을 수밖에 없습니다. 따라서 이제 막 문장 읽기를 시작하여 글을 유창하게 읽고 이해하는 데까지 많은 시간이 걸리는 학생들의 특성을 고려한 적합한 교재가 필요합니다.

이 교재는 학생의 연령에 맞는 좋은 문장으로 학습자의 속도에 맞게 읽기 이해력을 높일 수 있도록 개발하였습니다. 읽기를 배우는 데 오래 걸리는 아이들도 좋은 글을 읽고, 글에서 정보를 얻고, 글을 읽는 즐거움을 가질 수 있게 하고자 합니다.

1. 짧은 글을 읽고 내용을 이해할 수 있도록 다양한 활동으로 구성했습니다. 문장 읽기 수준에 있는 학생들은 누구나 이 책으로 독해 공부를 할 수 있습니다. 특수학급이나 특수학교에 재학하는 초・중・고 학생, 읽기에 어려움을 가지고 있는 학습 부진 학생, 한글을 배우기 시작하는 다문화 학생이나 재외교포를 대상으로 하는 한글교실에서도 사용할 수 있습니다.

2. 각 단계는 읽기 이해의 수준별로 분류해 제작하였습니다. 1단계의 목표는 1~2문장을 읽고 이해하는 것이며 마지막 4단계의 목표는 글의 구조를 이해하는 것입니다. 단계에 따라 글의 길이, 문장과 어휘의 난이도, 질문의 난이도가 높아집니다.

3. 다양한 종류의 글을 접하도록 제시하였습니다. 생활글, 실용적 정보를 주는 글, 문학 작품(시, 이야기), 노랫말, 일기, 설명글 등 다양한 글을 통해 읽기 이해력을 높이도록 하였습니다. 초등국어교육과정의 목표와 내용체계를 고려하였고 초등교육과정에서 다루는 주제를 선정하여 교사들이 직접 글을 썼습니다. 그림책이나 시와 같은 문학 작품을 선정한 경우에는 전문을 제시하여 학생들이 문학 작품 전체를 느끼도록 하였습니다. 실생활에서 정보를 주는 글을 바로 읽고 활용할 수 있도록 실용글 읽기를 제시했습니다.

4. 읽기 이해 능력을 중심으로 접근하지만 듣기, 말하기, 쓰기를 함께 배울 수 있도록 다양한 활동을 제시하였습니다. 읽기 이해 능력은 읽기 기술만을 따로 가르치는 것에 의해 향상되지 않으며 다른 영역과 총체적으로 접근하는 것이 바람직하기 때문입니다. '글마중, 신나는 글 읽기, 이야기 돋보기, 낱말 창고, 우리말 약속, 뽐내기'라는 꼭지를 두어 활동적인 수업이 되도록 제시하였습니다.

5. 읽기를 천천히 배우는 아이들의 특성을 고려하여 충분히 공부할 수 있도록 단계를 세분화하였습니다. 학생들의 연령과 특성에 맞게 선택하여 제시할 수 있도록 같은 수준의 자료를 다양하게 준비하였습니다.

책의 구성

'글마중'에는 배워야 할 전체 본문을 제시했습니다. 읽기가 서툴러 짧은 글을 읽는 아동이라 하더라도 국어 교육 목표에 따라 문학 작품 등을 부분만 제시하는 것은 바람직하지 않습니다. 아직 술술 읽는 것이 어렵지만 읽기를 재미있게 받아들일 수 있도록 완성도 있는 짧은 글을 그림과 함께 제시하였습니다.

신나는 글읽기

'신나는 글 읽기'에서는 본문의 내용을 쉽게 파악할 수 있도록 글에 관련된 여러 활동을 제시하였습니다. 다양한 방법으로 읽기, 그림으로 전체 내용 파악하기, 내용과 관련된 듣기·말하기 활동 등으로 구성되어 있습니다. 이 꼭지를 통해 아이들은 읽기 활동을 재미있게 느낄 것입니다.

이야기 돋보기

'이야기 돋보기'는 문장의 구조를 활용하여 내용을 파악하기 위한 반복적인 연습문제로 구성되어 있습니다. 본문의 문장을 나누어 제시하고 글의 내용에 관한 질문에 답하도록 문제를 제공하였습니다. 단계에 따라 문장의 길이, 문제의 난이도, 단서 수준, 답을 쓰는 방법을 달리하였습니다.

낱말 창고

'낱말 창고'에서는 본문에 있는 낱말 중 어려운 낱말을 선정하여 낱말 뜻 익히기나 쓰기 활동, 맞춤법, 어휘 관련 활동을 제시하였습니다. 본문의 낱말과 관련된 여러 어휘를 제시하여 어휘력 향상을 꾀하였습니다.

뽐내기

'뽐내기'는 본문과 관련된 다양한 쓰기와 표현 활동으로 구성하였습니다. 반복적인 쓰기 연습만으로는 아이들 스스로 쓰기 표현을 즐길 수 없습니다. 글마중의 내용과 관련된 쪽지도 쓰고, 그림도 그리고, 만들기도 하면서 쓰기를 즐겁게 느낄 것입니다. 1단계에서 문장 완성하기부터 시작하여 마지막 단계에서는 글의 주제와 종류에 따라 글을 쓰는 방법까지 다루게 됩니다.

우리말 약속

'우리말 약속'에서는 아이들이 익혀야 하는 말본지식(문법)을 이해하기 쉽게 제시하고 반복 연습을 통해 익히도록 합니다. 자모음 체계 익히기, 품사와 토씨(조사) 등의 문장구조 익히기, 어순대로 쓰기, 이음말(접속사) 익히기 등 말본지식을 활용할 수 있도록 다양한 활동을 제시합니다.

책의 꼭지 활용 방법

- **<글마중>**에 나온 글을 다양한 방법으로 읽게 해 주세요. 적당한 속도로 정확하게 읽을 수 있어야 글의 내용을 이해할 수 있습니다. 문장을 읽기 시작한 아이들의 경우 소리 내어 읽는 것은 매우 중요합니다. 자기가 읽은 것을 들으며 읽은 내용을 이해하기 때문입니다. 눈으로 읽은 것을 바로 이해하는 묵독을 할 수 있는 단계가 되기 전까지는 다양한 방법으로 소리 내어 읽는 활동을 많이 해 보는 것이 좋습니다. 읽기의 유창성과 정확도를 높이면 읽기 이해력도 향상됩니다.
  읽어 주는 것 듣기, 교사가 한 문장이나 한 구절씩 읽으면 따라 읽기, 중요한 단어나 구절만 따로 읽기, 입 맞추어 함께 읽기, 구절 나누어 읽기, 번갈아 읽기, 돌아가며 읽기, 혼자 읽기 등의 방법을 활용하면 좋습니다. 아이가 읽은 것을 녹음해 다시 듣게 하거나 친구와 서로 읽어 주는 방법도 동기 유발에 좋습니다.
- **<신나는 글 읽기>**와 **<뽐내기>**는 표현 활동이므로 학습지만 활용할 것이 아니라 실제 활동을 통해 익히도록 해 주세요. 노래를 함께 부르고, 동작을 만들어 보세요. 주제와 관련하여 말하기, 동작, 음률, 미술, 몸짓, 놀이 등 다양한 표현 활동과 연계하여 활동적인 수업을 해 보세요. 이렇게 통합적으로 접근하면 아이들의 자유로운 표현 능력이 향상되고 흥미 있게 참여할 것입니다. 다양한 활동을 통해 자연스럽게 말하기, 쓰기 표현 능력이 향상될 수 있도록 연계하여 지도할 수 있습니다.
- **<이야기 돋보기>**는 이해 목표에 따른 반복 활동으로 연습을 할 수 있게 되어 있습니다. 문장 단서와 그림 단서를 활용하는 방법을 알려 주세요.

지도 교사 도우미

- **<꼭지별 내용 체계>**는 주제에 관한 꼭지 구성이 어떻게 되어 있는지 한눈에 볼 수 있도록 표로 정리되어 있습니다. 수업 계획을 세울 때 활용하거나 평가할 때 체크리스트로 사용해도 좋을 것입니다.
- **<좀 더 활용해 보세요>**는 주제와 관련하여 추가로 지도할 수 있는 수업 아이디어를 제공하였습니다.

너도나도 이야기해요.	듣기, 말하기와 관련된 활동을 소개하였습니다.
같이 읽어요.	주제와 관련하여 아이와 함께 읽어 보면 좋을 책을 소개하였습니다.
마음대로 나타내요.	주제와 관련된 다양한 쓰기 표현 활동을 제시했습니다.
함께 놀아요.	주제에 맞는 과학, 미술, 음악, 놀이, 연극 놀이, 자연 놀이, 요리 활동 등 다양한 통합 활동이 포함되어 있습니다.

- **선생님께 한마디**는 교사가 참고할 만한 지도 방법을 학습지 하단에 제시한 것입니다.

2단계의 목표와 내용 구성

★ 2단계는 '지수의 생활', '노래랑 일기랑', '이야기와 놀자' 3권의 책으로 엮었습니다.

★ 2단계 1권은 아이들의 생활을 중심으로 주변에서 볼 수 있는 다양한 글(생활문, 편지, 광고, 안내문 등)을 제시했습니다. 2권은 노랫말과 일기를 읽고 쓰는 활동으로 구성했습니다. 3권은 반복적 구조의 짧은 이야기(그림책)를 제시하여 긴 글 읽기를 재미있게 시작하도록 했습니다.

★ 2단계의 목표는 다음과 같습니다. 단, 제시 방법에 따라 목표를 조정할 수 있습니다.

- 읽기: 4~7문장의 짧은 글을 읽고 내용을 파악할 수 있다.
  2~3문장을 읽고 '누가, 언제, 어디, 무엇, 어떻게'에 관한 질문에 답할 수 있다.
- 듣기 말하기: 이야기를 듣고 주제에 맞게 2~3문장으로 말할 수 있다.
- 쓰기: 주제에 대한 문장을 채워 쓰거나 1~2문장을 스스로 쓸 수 있다.
- 문학: 짧은 생활문, 노랫말, 실용문, 이야기 읽기에 흥미를 가질 수 있다.
- 문법: 임자말(주어), 풀이말(서술어), 부림말(목적어)을 바르게 넣어 사용할 수 있다.

<table>
<tr><th></th><th>1권 <지수의 생활></th><th>2권 <노래랑 일기랑></th><th>3권 <이야기와 놀자></th></tr>
<tr><td>전체 구성</td><td>학교 생활
우리 동네
우리집
친구야 놀자</td><td>노래랑 놀자
일기랑 놀자</td><td>삐악! 우리 엄마세요?
괜찮아 / 배고픈 애벌레
커다란 순무 / 장갑
바람과 해님
개미와 베짱이</td></tr>
<tr><td>글마중</td><td colspan="3">글마중에 실려 있는 본문은 4~7문장의 짧은 글로 제시하였습니다. 한 문장의 짜임은 3~6어절로 구성되어 있습니다. 본문의 내용을 이해하기 쉽게 그림을 함께 넣었습니다. 1권의 '지수의 생활'은 아이들의 생활을 중심으로 생활문, 편지나 일기, 광고나 안내문을 다양하게 구성했고 2권은 노랫말과 일기글을, 3권은 반복적 구조의 짧은 이야기(그림책)를 통해 읽기를 배우도록 했습니다.</td></tr>
<tr><td>신나는 글 읽기</td><td colspan="3">본문의 전체 내용을 그림으로 간략히 파악하거나 글의 내용에 흥미를 갖도록 관련 활동을 제시하였습니다. 본문을 반복해서 읽도록 다양한 읽기 방법을 제시하였습니다.</td></tr>
<tr><td>이야기 돋보기</td><td colspan="3">글마중의 본문을 2~3문장씩 나누어 제시하고 '누가, 언제, 어디, 무엇, 어떻게' 에 관한 질문에 답하도록 문제를 제시했습니다. 의문사를 다른 색으로 표시하여 한눈에 알아볼 수 있도록 하였습니다. 4개의 보기 중 하나를 고르게 하거나 단답형의 문제를 제시했습니다.</td></tr>
<tr><td>낱말 창고</td><td colspan="3">본문에 나오는 기본 어휘나 기본 어휘와 관련된 새로운 어휘를 확장해 익히도록 제시했습니다.</td></tr>
<tr><td>우리말 약속</td><td colspan="3">임자말(주어), 풀이말(서술어), 부림말(목적어)을 내용에 맞게 바르게 넣을 수 있도록 말본 지식(문법)을 가르칩니다.</td></tr>
<tr><td>뽐내기</td><td colspan="3">주제에 대한 문장을 채워 쓰거나 단문을 쓰도록 활동을 제시했습니다. 쓰기 전 활동을 제시하여 1~2문장으로 내용에 맞게 구성해 쓰도록 하였습니다.</td></tr>
</table>

꼭지별 내용 체계

2권 노래랑 일기랑

주제	글마중	신나는 글 읽기	이야기 돋보기	낱말 창고	뽐내기	우리말 약속
노래랑 놀자	눈	노래를 불러보고 어울리는 그림이나 사진 찾기	노랫말 읽고 답하기	여러 가지 눈의 종류와 특징 알기 눈과 관련된 낱말 쓰기		* 풀이말 - 풀이말에 대해 알아보기 - 풀이말 찾기
	우산	노래를 불러보고 예쁘게 우산 꾸미기	노랫말 읽고 답하기	여러 가지 비의 종류와 특징		
	도토리	노래를 불러보고 도토리의 굴러가는 모양을 나타내는 말 쓰기	노랫말 읽고 답하기	신체와 관련된 재미 있는 말		
	꽃밭에서	노래를 불러보고 나만의 꽃밭 꾸미기	노랫말 읽고 답하기	새끼줄의 뜻과 쓰임새 알기	여러 가지 줄 종류 알기 노래가사 바꾸어 부르기	
	올챙이와 개구리	노래를 불러보고 가사 쓰기	노랫말 읽고 답하기	동물의 이름과 부위 이름 알기		
	고기잡이	노래를 불러보고 물고기 색칠하기	노랫말 읽고 답하기	물고기가 사는 곳을 연결하고 이름 쓰기		
일기랑 놀자	그림일기(1)	그림을 낱말로 바꾸어 읽기	2문장 읽고 답하기		일기 내용에 맞는 그림 붙이기	- 지나간 일을 나타내는 풀이말 찾기 - 지나간 일을 나타내는 풀이말 쓰기
	그림일기(2)	일기에 맞는 그림 연결하기	2문장 읽고 답하기		일기 내용에 맞는 그림 붙이기	
	그림일기(3)	일기 내용에 관련된 그림 찾기	2~3문장 읽고 답하기		일기를 읽고 어울리는 그림 그리기	
	주말에 뭐했니?(1)	발표 내용 그림과 발표자 연결하기	1~2문장 읽고 답하기	주말과 평일 장소를 나타내는 말	누가 어디에서 무엇 을 했는지 말하기	- 그림에 맞는 풀이말 연결하기 - 임자말에 어울리는 풀이말 찾기
	주말에 뭐했니?(2)	발표 내용의 중심 단어와 발표자 연결하기	1~2문장 읽고 답하기	시립, 국립 시간을 나타내는 말	언제 어디에서 무엇을 했는지 말하기	

주제	글마중	신나는 글 읽기	이야기 돋보기	낱말 창고	뽐내기	우리말 약속
일기랑 놀자	주말에 뭐했니?(3)	중심문장과 발표자 연결하기	2문장 읽고 답하기	'깨'와 '께' 들어간 낱말 구분해 쓰기 바닷가,해변,해수욕장, 파도, 바닷물 '어디로'에 해당하는 말 채워 쓰기	무엇을 어떻게 했는지 자세히 말하기	- 그림을 보고 문장에 어울리는 풀이말 쓰기
	주말에 뭐했니?(4)	중심문장과 발표자 연결하기	2문장 읽고 답하기	'개'와 '게'가 들어간 낱말 구분해 쓰기 느낌을 표현하는 말 채워 쓰기	주말 이야기 읽고 어울리는 표정 그리고 느낌 쓰기	
	소희의 일기	일기 내용에 맞는 제목 연결하기	2~3문장 읽고 답하기	봄에 피는 꽃	하루의 일 중 글감 고르고 제목 쓰기	- 임자말과 풀이말을 문장 순서에 맞게 쓰기
	민지의 일기	일기 내용에 맞는 제목 연결하기	2~3문장 읽고 답하기	낳다와 낫다	제목에 어울리는 일기 문장 고르기	
	진호의 일기	일기글에 맞는 제목 생각해 연결하기	2~3문장 읽고 답하기	'래'와 '레' 들어간 낱말 구분해 쓰기	일기 읽고 제목 붙이기 주말이야기 정리하고 일기쓰기	- 그림을 보고 1문장으로 쓰기

좀 더 활용해 보세요

노래랑 놀자

스마트폰과 컴퓨터로 혼자 게임을 하며 시간을 보내는 아이들이 많아졌습니다. 노는 것, 노래하는 것도 배워야 하는 시대가 되었습니다. 아이들이 신 나게 노래를 부르며 어깨를 들썩이고, 다같이 뒹굴며 뛰어노는 모습을 보고 싶습니다.

노랫말은 가락에 맞추어 부르다 보면 저절로 외워지기에 아이들에게 가장 좋은 언어교육 자료이기도 합니다. 몸으로 표현하기, 같은 단어가 나올 때 박수치기 등 다양한 활동을 통해 노래와 글에 더 흥미를 느끼고 가깝게 다가갈 수 있습니다.

"꼭꼭 숨어라, 머리카락 보일라~♬ 여우야, 여우야, 뭐하니~♪"

활동 영역	관련 활동
너도나도 이야기해요	우리 가족 노래 소개하기 엄마, 아빠가 어렸을 적 불렀던 노래, 좋아하던 동요를 가족들과 함께 찾아보자. 더불어 엄마, 아빠의 어린 시절 이야기도 들어보고 함께 동요를 부르다보면 어느새 따뜻한 웃음이 피어날 것이다. 친구들 앞에서 엄마, 아빠에게 배운 동요를 자랑해 보거나, 가족이 함께 노래 부르는 동영상을 보여주어도 재미있겠다.
같이 읽어요	노래 노래 부르며 **이원수 작사 / 홍난파 작곡 / 장홍을 그림 / 길벗어린이** 누구나 한번쯤은 들어보고 불러보았을 노래이기에 다정한 숨결과 추억을 세대에서 세대로 이어주어 우리 아이들의 입에서도 이 노래들이 흘러나오길 바란다. (노래 CD와 그림과 노래가사가 아름답게 수록)
	께롱께롱 놀이노래 **편해문 글 / 윤정주 그림 / 보리** 아침 해 뜨고 뉘엿뉘엿 해질 때까지 하루 종일 놀면서 부르는 노래 50곡이 그림책과 음반에 담겨있다. 방귀쟁이 밤톨이, 오줌싸개. 박박이, 도둑고양이, 부엉데기 쥐, 이 빠진 갈가지 같은 그림 속 동무들을 따라다니며 한바탕 신 나게 놀아 볼까?

활동 영역	관련 활동
같이 읽어요	 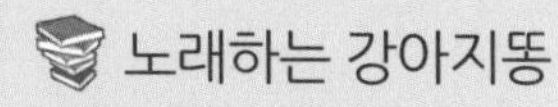노래하는 강아지똥 **백창우 지음 / 길벗어린이** 어린이 책의 고전이 된 권정생 선생님의 '강아지똥'의 인상적인 장면들을 아름다운 노랫말과 연주 스무 개로 담아낸 노래책
	 온 세상을 노래해 **리즈 가튼 스캔런 글 / 말라 프레이지 그림 / 이상희 옮김 /웅진주니어** 평범한 하루 속에서 느껴볼 수 있는 기쁨들을 알게 해주는 그림책으로 모든 것이 소중하다는 것을 알게 해준다. 다양한 아침 풍경을 통해 일상의 소중함을 일깨워주는 '아침에 창문을 열면'(아라이 료지 글·그림 /시공주니어)과 아이들의 눈으로 여러 가지 마음을 느끼고 공감하게 해주는 '마음을 보았니?'(김춘효 글 / 오정책 그림 / 시공주니어)를 함께 추천한다.
	파도야 놀자 **이수지 글 · 그림 / 비룡소** 파란색과 흰색, 검은색으로 어우러진 글 없는 그림책이다. 파도의 생동감과 소녀의 순수함을 보는 아이들마다 아름다운 노랫말이 술술 나올 것 같다.
	 우리시 그림책 시리즈 14권 **창비** 우리나라의 정서와 문화를 표현한 시를 선별하여 그림과 함께 엮은 책. 즉흥적인 장단에 맞추어 노래를 부르다 보면 아이들도 어느새 함께 흥얼거리며 어우러진다.
마음대로 나타내요	노래 듣고 표현하기 노래를 들으며 노랫말이나 음률의 느낌에 따라 상상하여 그리기, 색종이 찢어 붙이기, 어울리는 그림이나 사진 찾기 등으로 노래를 표현해 볼 수 있다. 또한, 몸으로 어울리는 동작이나 무용을 만들어 보자. 노랫말 바꾸어 부르기 노랫말의 주인공이나 가사를 바꾸어 불러 보자. 예를 들어 '올챙이와 개구리'는 새끼가 어미가 되는 과정을 표현한 노래이므로 '병아리와 닭'로 바꾸어 불러볼 수 있다.

활동 영역	관련 활동
함께 놀아요	노래랑 놀이랑 우리 전래놀이에는 노랫가락과 어우러진 놀이들이 많이 있다. 노래에 맞춰 놀이를 하다 보면 흥겨움이 더해져서 놀이에 더 흠뻑 빠지게 된다. - 꽃따기 놀이(우리 집에 왜 왔니?) 일렬로 서서 노래를 부르며 상대편의 아이를 빼앗아 오는 놀이를 해본다. - '꼬마야, 꼬마야' 긴줄넘기 놀이 긴 줄을 준비해서 두 사람은 양쪽 끝을 잡고 돌리고 나머지 사람들은 줄을 넘는 놀이다. 줄을 넘을 때 "꼬마야, 꼬마야"라는 노래에서 요구하는 것을 행동으로 옮기고 빠져나오면 된다. - 세박자 콩콩콩 '오른발 들고, 왼발 들고, 앞으로 갔다, 뒤로 갔다, 콩콩콩, 가위바위보' 노래를 부르며 두 사람이 만나 가위바위보를 하고 진 사람이 이긴 사람 뒤에 가서 허리를 잡고 선다. 다시 노래가 시작되면 두 사람이 함께 움직이며 다른 팀을 만나 앞사람끼리 가위바위보를 한다. 이렇게 점점 4명, 8명으로 늘어나다 전체가 2팀이 되면, 꽃따기 놀이, 대문놀이, 꼬리따기 등 두 패를 나누어 노는 놀이로 이어 놀아도 재미있다. - 청어 엮기 강강술래의 부분 놀이로 노래를 부르며 맨 앞사람이 왼쪽(오른쪽) 사람과 잡은 손 밑으로 빠지면서 자기 몸을 엮어 계속 시계 반대 방향으로 진행하는 놀이이다. 선소리꾼이 "청청청어 엮자 위도군산 청어 엮자"라는 노래를 부르면 선두로 지정된 사람이 오른손(왼손)을 놓고 둘째 사람과 잡은 왼손(오른손) 밑으로 엮는다. 이어서 한 사람씩 차례로 엮어간다. 다 엮어지면 선소리꾼이 "청청 청어풀자 위도군산 청어풀자"를 부르면서 엮을 때와는 반대로 풀어간다. 한 사람씩 팔이 풀리게 되어 다시 둥근 대형이 된다. 우리들의 연주회 자주 불러서 익숙해진 노래가 있다면 악기 연주를 함께 해보자. 악보를 보기 어려운 아이들을 위해 가사에 색종이나 색연필로 악기별 색깔 표시를 하여 악기 악보를 같이 만든 후 합주를 해본다. 동작 미션 게임 동요의 노랫말에 알맞은 동작을 정해서 노래를 부르다 그 노랫말이 나올 때 동작을 취해본다. 반복되는 노랫말이나 의성어, 의태어 등에 재미있는 동작을 만들어 불러본다.

2장 일기랑 놀자

방학 내내 놀다가 개학 전날에 엄마한테 혼나고, 머리를 굴려가며 일기 쓰기 숙제를 꾸역꾸역 했던 기억이 납니다. 방학 동안의 일기를 '밥 먹고 숙제하고 잠잤다'는 내용의 순서만 다르게 써서 혼나기도 했지요. 지금은 아이들의 솔직하고 엉뚱한 표현과 생각들을 보며 웃게 됩니다. 일기 쓰기가 숙제가 아닌 아이들이 마음껏 쓰고 붙이고 그리며 상상여행을 할 수 있는 활동이길 바랍니다. 보통 학교에서 글쓰기 활동으로 일기 쓰기를 많이 하지만 일기 쓰기가 여전히 어렵고 더딘 아이들을 위해 단계별 활동으로 나눴습니다. 일기 내용과 맞는 그림 찾기, 중심 단어 찾기, 빈칸 채우기 등 쉬운 단계부터 스스로 한 두 문장으로 일기를 써보는 활동까지 세세하게 구성했습니다.

아이들이 직접 쓴 일기와 그림을 실었습니다. 낱말 사용이나 내용이 다소 어색할 수 있지만 최소한의 수정만 했습니다. 선생님의 친절한 설명과 함께 친구들의 일기를 만나며 일기 쓰기를 배워볼까요?

활동 영역	관련 활동
너도나도 이야기해요	감정을 나타내는 말을 배워 봐요. 일기를 마칠 때 늘 '좋았다'라고 끝내는 아이들을 위해 여러 가지 감정을 나타내는 단어를 배워본다. 긍정적 감정, 부정적 감정이 섞여 있는 종이에 표정 이모티콘 스티커나 그림을 붙여보도록 한다. '지루한'이라는 말에는 어떤 표정이 어울릴까? 표정을 그려보는 것도 좋지만 어려워할 수 있으므로 어울리는 그림을 붙이는 활동으로 해볼 수 있다. 표정이 비슷한 것끼리 단어를 묶어보고 공통점을 이야기해보는 활동도 좋겠다. 다양한 일기 활동 아직 일기 쓰기가 어려운 아이들과 함께해볼 수 있는 활동으로 사진일기, 영상일기 등을 만들어본다. 직접 찍은 사진 또는 책에 있는 사진이나 그림으로 일기장을 꾸미고 친구들에게 간단히 이야기해본다. 영상일기는 즐거운 순간을 휴대폰으로 찍어오거나 부모님께 동영상 파일을 받아 함께 보며 이야기를 나눈다.

활동 영역	관련 활동
	아이들에게 추천하는 책
	 우진이의 일기 **조수진 글 · 그림 / 파란자전거** 아이의 그림일기 형식으로 쓰인 그림책이다. 6살 우진이의 생각과 마음을 살짝 들여다봄으로써 아이들의 행동을 조금은 이해할 수 있지 않을까 싶다.
	 엠마의 비밀일기 **수지 모건스턴 글 / 세브린 코르디에 그림 / 비룡소** 글자라고는 이름밖에 쓸 줄 모르는 엠마는 비밀 일기장을 선물 받은 뒤 매일 다른 방법으로 일기를 써가며 하루하루의 소중함을 느끼게 된다. 일기는 글로만 쓰는 것이 아님을 알려주는 책이다.
같이 읽어요	**교사 · 학부모에게 추천하는 책**
	 박정희 할머니의 행복한 육아일기 **박정희 글 / 걷는책** 1940-60년에 걸쳐 다섯 남매를 대가족 내에서 키우며 겪었던 소소한 일상을 역사와 함께 써내려간 박정희 할머니께 존경심과 사랑이 생기는 책이다. 아직 기회가 있다면 우리 가족의 역사를 써내려 가보면 어떨까?
	 일기 도서관 **박효미 글 / 김유대 그림 / 사계절** 일기 쓰기 힘들어하는 아이의 심리가 절절히 느껴지는 그림책이다. 아이들에게 읽어주면 깊이 공감할 것이고, 선생님이나 부모님이 읽으면 아이들의 마음을 헤아릴 수 있을 것 같다. 꼭 읽어보시길!
	 나 오늘 뭐 써! **정설아 글 / 마정원 그림 / 파란정원** 일기 지도의 다양한 방법이 안내되어있는 친절한 책으로 선생님과 부모님이 반가워할 책이다.

활동 영역	관련 활동
마음대로 나타내요	생각그물 만들기 글쓰기를 어려워하는 아이들은 어떤 내용부터 써야 하는지 막막하기만 할 것이다. 일기를 쓰기 전에 오늘 있었던 일을 떠올려서 사람 중심 또는 사건 중심, 감정 중심으로 생각그물에 적어보도록 한다. 생각그물에 적은 내용을 바탕으로 이야기를 나눈 뒤에 본격적으로 일기를 쓰도록 한다. 함께 쓰는 일기장 - 가족 일기장 모둠 아이들이 함께 쓰는 모둠 일기장처럼 가정에서 함께 쓰는 가족 일기장을 통해 서로의 마음을 이해하고 글쓰기도 자연스럽게 익히는 일석이조 활동을 해본다. - 둘만의 비밀 일기장 아이와 단둘이 쓰는 일기장은 어떨까요? '학교 가는 날 - 오늘의 일기'(송언 글 / 김동수 그림 / 보림)은 1960년대 아이 구동준이 2000년대 아이 김지윤의 선생님이라는 설정으로 사십여 년의 세월을 사이에 둔 두 아이의 생활 모습을 비교해보는 재미있는 일기책이다. 이 일기처럼 아이와 부모님이 함께 사는 일상을 같은 일기장에 담아보는 활동을 해본다. 놀이 일기장 매일 있었던 일을 쓰는 일기장이 아닌 특별한 목적이 있는 일기장을 써보자. 늘 반복되는 일상을 일기로 쓰는 게 지겹다면 학교나 집에서 한 놀이를 중심으로 놀이 일기장을 써보는 것이다. 어떤 놀이인지, 누구랑 했는지, 느낌은 어땠는지 등을 써볼 수 있다. 학교에서 놀이시간에 한 내용을 중심으로 주 1~2회 정도만 써볼 수도 있다.
함께 놀아요	방학에 무슨 일이? 연극놀이 개학하고 만난 아이들과 해볼 수 있는 활동으로 '방학 동안 친구들에게 무슨 일이 있었을까?'하는 궁금증에서 시작된다. 방학동안 있었던 일을 동작으로 표현하면 친구들이 맞춰보는 활동이다. 다양한 상상과 추측으로 새롭고 재미있는 방학 이야기 활동이 될 것이다. 일기 퀴즈 주말 이야기를 나눈 후 하면 좋은 활동이다. 주말에 있었던 이야기를 친구들 앞에서 발표하거나 선생님이 읽어준 후, 아이들이 잘 들었는지 퀴즈를 통해 확인해본다. 아이들의 발표 능력, 친구들의 이야기에 집중하는 능력을 길러주며 아이들이 즐겁게 참여하는 모습을 볼 수 있다.

선생님이 만든 좔좔 글읽기
2권
노래랑 일기랑

노래랑 일기랑

1장

노래랑 놀자

2장

일기랑 놀자

글마중

눈

작사 미상
작곡 박재훈

펄펄 눈이 옵니다.
하늘에서 눈이 옵니다.
하늘나라 선녀님들이
송이송이 하얀 솜을
자꾸자꾸 뿌려줍니다.
자꾸자꾸 뿌려줍니다.

펄펄 눈이 옵니다.
하늘에서 눈이 옵니다.
하늘나라 선녀님들이
하얀 가루 떡가루를
자꾸 자꾸 뿌려줍니다.

월 일 요일 확인

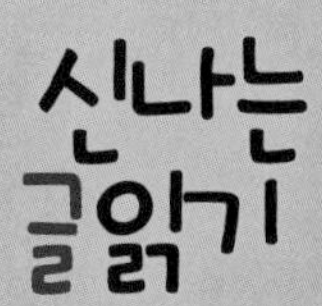

글마중을 읽고 노래를 불러 보세요.

① 눈이 많이 내리는 날을 상상하며 즐겁게 읽어 보세요.

② 〈눈〉 노래를 잘 들어 보세요.

③ 〈눈〉 노래를 신 나게 불러 보세요.

노래와 어울리는 그림이나 사진을 찾아 ○ 하세요.

이야기 돋보기

월 일 요일 확인

다음 글을 읽고 알맞은 답을 고르거나 쓰세요.

펄펄 눈이 옵니다. 하늘에서 눈이 옵니다.

1. 하늘에서 무엇이 오나요?
알맞은 그림을 찾아 ○ 하고 낱말을 써 보세요.

2. 눈이 어떻게 오나요? ( )

① 펑펑 ② 펄펄 ③ 폴폴 ④ 퐁퐁

선녀님들이 하얀 솜을 자꾸자꾸 뿌려줍니다.
선녀님들이 떡가루를 자꾸자꾸 뿌려줍니다.

3. 누가 눈을 뿌려주는 것 같다고 했나요? ( )

① 신령님 ② 도깨비 ③ 선녀님 ④ 신부님

4. 무엇을 뿌려주는 것 같다고 했나요? 모두 고르세요.
( ),( )

① 하얀 솜 ② 하얀 털 ③ 떡가루 ④ 밀가루

월 일 요일 확인

낱말 창고

여러 가지 눈의 종류를 알아보고 알맞게 연결하세요.

함박눈 → 눈송이가 크며 잘 뭉쳐지는 눈

진눈깨비 → 비와 함께 오는 눈

싸락눈 → 아주 작은 얼음알갱이 같은 눈

함박눈 •	• 아주 작은 얼음알갱이 같은 눈
진눈깨비 •	• 눈송이가 크며 잘 뭉쳐지는 눈
싸락눈 •	• 비와 함께 오는 눈

눈이 오면 즐거워요. 눈이 오면 무엇을 할까요?

아침에 함박눈이 펑펑 쏟아졌어요.

아빠가 큰 [   ]을 만들었어요.

나는 친구들과 [   ]을 했지요.

글마중

우산

작사 윤석중
작곡 이계석

이슬비 내리는 이른 아침에
우산 셋이 나란히 걸어갑니다.
파란 우산 깜장 우산 찢어진 우산
좁다란 학교 길에 우산 세 개가
이마를 마주대고 걸어갑니다.

월 일 요일 확인

신나는 글읽기

글마중을 읽고 노래를 불러 보세요.

① 한 줄을 절반씩 나누어 선생님과 번갈아 읽어 보세요.
② 혼자서 즐겁게 읽어 보세요.
③ 노래를 들으며 우산을 예쁘게 꾸며 보세요.
④ 즐겁게 '우산' 노래를 불러 보세요.

이야기 돋보기

월 일 요일 확인

다음 글을 읽고 알맞은 답을 고르거나 쓰세요.

이슬비 내리는 이른 아침에

<u>우산 셋이 나란히</u> 걸어갑니다.

1. 무엇이 내리고 있나요? ( )

① 소나기 ② 이슬비 ③ 가랑비 ④ 학교

2. 위의 밑줄 친 문장과 같은 그림을 찾으세요. ( )

① ② ③

파란 우산 깜장 우산 찢어진 우산

좁다란 학교 길에 우산 세 개가

이마를 마주대고 걸어갑니다.

3. 어디에 가는 길인가요? ( )

① 학교 ② 집 ③ 놀이터 ④ 문구점

4. 우산은 모두 몇 개인가요? ☐ 개

5. 무엇을 마주대고 걸어간다고 했나요? ( )

① 어깨 ② 머리 ③ 이마 ④ 손바닥

월 일 요일 확인

낱말 창고

**'이슬비'는 아주 가늘게 내리는 비를 말해요.
여러 가지 비의 종류를 알아보고 알맞게 연결하세요.**

이슬비 → 아주 가늘게 내리는 비

여우비 → 맑은 날에 잠깐 뿌리는 비

장대비 → 빗줄기가 굵고 세차게 내리는 비

소나기 → 갑자기 세차게 내리다가 금방 그치는 비

이슬비	●	●	빗줄기가 굵고 세차게 내리는 비
여우비	●	●	갑자기 세차게 내리다가 금방 그치는 비
장대비	●	●	아주 가늘게 내리는 비
소나기	●	●	맑은 날에 잠깐 뿌리는 비

비 오는 모습을 상상하며 읽어 보세요.

어제는 하루 종일 장대비가 쏟아졌습니다.

오후에 갑자기 소나기가 내렸습니다.

해가 떴는데 여우비가 내려 옷이 젖었습니다.

글마중

도토리

작사 유성윤
작곡 황철익

떼굴떼굴 떼굴떼굴 도토리가 어디서 왔나
단풍잎 곱게 물든 산골짝에서 왔지

떼굴떼굴 떼굴떼굴 도토리가 어디서 왔나
깊은 산골 종소리 듣고 있다가 왔지

떼굴떼굴 떼굴떼굴 도토리가 어디서 왔나
다람쥐 한눈팔 때 졸고 있다가 왔지

월 일 요일 확인

신나는 글읽기

글마중을 읽고 노래를 불러 보세요.

① 정확한 발음으로 읽어 보세요.

② 도토리 노래를 잘 들어 보세요.

③ 도토리가 굴러가는 것을 상상하며 신 나게 노래를 불러 보세요.

도토리가 굴러가는 모습을 나타내는 말을 써보고 굴러가는 모습을 그려 보세요.

떼굴떼굴 떼굴떼굴 도토리가 어디서 왔나

단풍잎 곱게 물든 산골짝에서 왔지

__________ __________ 도토리가 어디서 왔나

깊은 산골 종소리 듣고 있다가 왔지

__________ __________ 도토리가 어디서 왔나

다람쥐 한눈팔 때 졸고 있다가 왔지

이야기 돋보기

월 일 요일 확인

다음 글을 읽고 알맞은 답을 고르거나 쓰세요.

떼굴떼굴 떼굴떼굴 도토리가 어디서 왔나
단풍잎 곱게 물든 산골짝에서 왔지

1. 도토리가 어떻게 굴러가나요? 소리 내어 읽어보고 굴러가는 느낌이 드는 낱말을 찾아보세요. ( )

① 펄럭펄럭 ② 방긋방긋 ③ 떼굴떼굴 ④ 끈적끈적

2. 다음 중 도토리처럼 '떼굴떼굴' 굴러가는 것을 골라 쓰세요.

연 공 연필 우산

[ ]이 떼굴떼굴 굴러가요.

[ ]이 떼굴떼굴 굴러가요.

3. 무엇이 곱게 물들었나요? ( )

① 은행잎 ② 단풍잎 ③ 호박잎 ④ 데굴데굴

4. 지금은 무슨 계절인가요? ( )

① 봄 ② 여름 ③ 가을 ④ 겨울

월 일 요일 확인 

이야기 돋보기

다음 글을 읽고 알맞은 답을 고르거나 쓰세요.

때굴때굴 때굴때굴 도토리가 어디서 왔나
깊은 산골 종소리 듣고 있다가 왔지

1. 도토리는 깊은 산골에서 무슨 소리를 듣고 있었나요?

때굴때굴 때굴때굴 도토리가 어디서 왔나
다람쥐 한눈팔 때 졸고 있다가 왔지

2. 한눈팔고 있었던 것은 누구인가요? ( )

① 너구리 ② 두더지 ③ 다람쥐 ④ 강아지

3. 도토리는 무엇을 하고 있다가 왔나요? ( )

① 먹고 있다가 ② 졸고 있다가
③ 자고 있다가 ④ 놀고 있다가

4. 다람쥐가 한눈팔 때 졸고 있다가 온 것은 무엇일까요?

월 일 요일 확인

'한눈팔다'의 뜻을 알아봅시다.

한눈팔다 → 마땅히 볼 데를 보지 않고 딴 곳을 보다.

한눈팔지 말고 공부하자.

자전거 탈 때 한눈팔면 사고가 나요.

신체와 관련된 재미있는 말을 더 알아보고 빈칸에 어울리게 써 보세요.

머리를 짜다 → 몹시 애를 써서 생각하다.

눈 깜짝할 사이 → 아주 짧은 시간 안에, 순식간에

1. [ ] 다 먹어버렸다.

2. 퀴즈를 풀기 위해 열심히 [ ] .

꽃밭에서

글마중

작사 어효선
작곡 권길상

아빠하고 나하고 만든 꽃밭에
채송화도 봉숭아도 한창입니다.
아빠가 매어놓은 새끼줄 따라
나팔꽃도 어울리게 피었습니다.

애들하고 재밌게 뛰어놀다가
아빠 생각나서 꽃을 봅니다.
아빠는 꽃 보며 살자 그랬죠.
날-보고 꽃같이 살자 그랬죠.

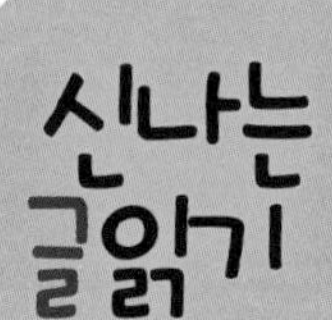

월 일 요일 확인

글마중을 읽고 노래를 불러 보세요.

① 사랑하는 아빠를 생각하며 읽어 보세요.

② 꽃밭에서 노래를 잘 들어보세요.

③ 아빠를 생각하며 노래를 불러 보세요.

<꽃밭에서> 노래를 부르며 예쁘게 꽃을 그려 내가 만들고 싶은 꽃밭을 꾸며 보세요.

월 일 요일 확인

이야기 돋보기

다음 글을 읽고 알맞은 답을 고르거나 쓰세요.

아빠하고 나하고 만든 꽃밭에
채송화도 봉숭아도 한창입니다.
아빠가 매어놓은 새끼줄 따라
나팔꽃도 어울리게 피었습니다.

1. 누가 꽃밭을 만들었나요? 모두 고르세요. (　　　　), (　　　　)

① 아빠　② 엄마　③ 나　④ 아기

2. 꽃밭에 무슨 꽃이 피었나요? 꽃 이름을 찾아 써 보세요.

3. 누가 새끼줄을 매어놓았나요? (　　　　)

① 아빠　② 엄마　③ 나　④ 나팔꽃

4. 새끼줄 따라 무엇이 피었나요? (　　　　)

① 채송화　② 나팔꽃　③ 봉숭아　④ 무궁화

5. 나팔꽃이 새끼줄을 따라 어떻게 피었나요? (　　　　)

① 어울리게 피었다.　② 혼자 피었다.
③ 피지 않았다.　④ 따로따로 피었다.

이야기 돋보기

월 일 요일 확인

다음 글을 읽고 알맞은 답을 고르세요.

애들하고 재밌게 뛰어놀다가
아빠 생각나서 꽃을 봅니다.
아빠는 꽃 보며 살자 그랬죠.
날 보고 꽃같이 살자 그랬죠.

1. 누구하고 재밌게 뛰어놀았나요? ( )

① 오빠들 ② 애들 ③ 형들 ④ 친구들

2. 애들하고 뛰어놀다가 누구 생각이 났나요? ( )

① 아빠 ② 엄마 ③ 할머니 ④ 친구

3. 아빠 생각이 나서 무엇을 보았나요? ( )

① 열매 ② 나뭇잎 ③ 꽃 ④ 산

4. 꽃 보며 살자고 한 사람은 누구인가요? ( )

① 엄마 ② 아빠 ③ 아저씨 ④ 할머니

5. 아빠는 나에게 무엇같이 살자고 그랬나요? ( )

① 열매 ② 줄기 ③ 뿌리 ④ 꽃

월 일 요일 확인

낱말 창고

'새끼줄'에 대해 알아보고 쓰임새를 살펴봅시다.

새끼줄 → 볏짚을 꼬아 만든 줄

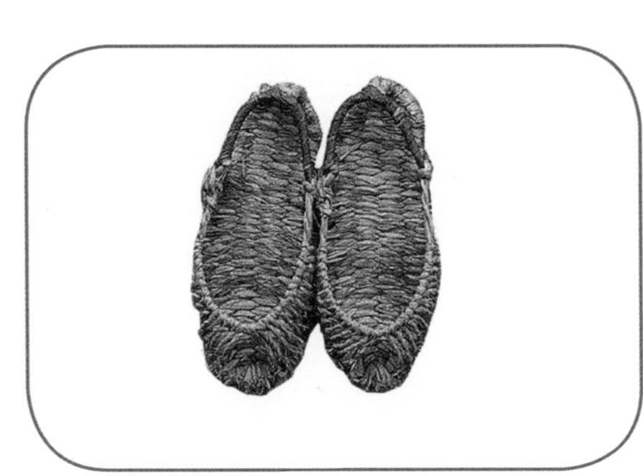

짚신은 새끼줄로 만든 신발이에요.

옛날에는 아기가 태어나면 대문 앞에 새끼줄로 만든 금줄을 걸었대요.

여러 가지 줄의 종류를 써 보세요.

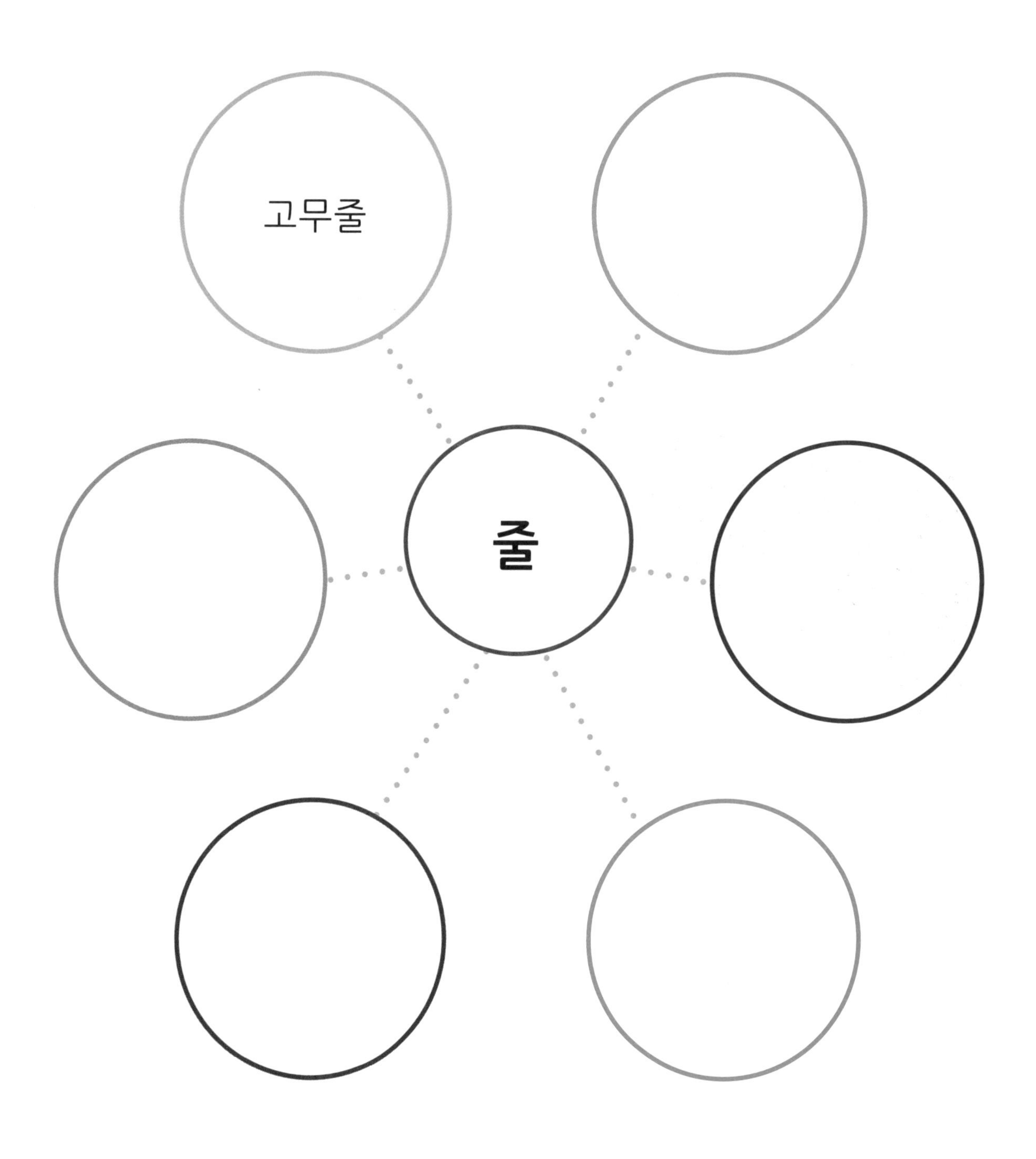

월 일 요일 확인

아래의 빈칸에 '꽃밭에서' 노래 가사를 바꾸어 불러 보세요.

꽃밭에서

[ ] 하고 나하고 만든 꽃밭에

[ ] 도 [ ] 도 한창입니다.

[ ] 가 매어놓은 새끼줄 따라

[ ] 도 어울리게 피었습니다.

♬ 새로 만든 노래를 곱게 불러 보세요 ♪

글마중

올챙이와 개구리

작사, 작곡 윤현진

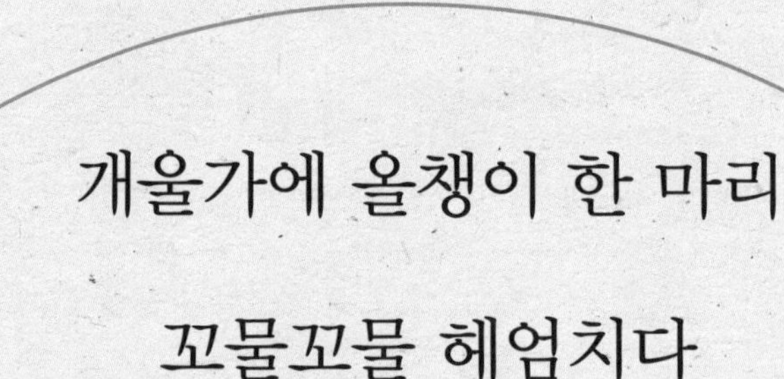

개울가에 올챙이 한 마리

꼬물꼬물 헤엄치다

뒷다리가 쑥~ 앞다리가 쑥~

팔딱팔딱 개구리 됐네.

꼬물꼬물 꼬물꼬물 꼬물꼬물 올챙이가

뒷다리가 쑥~ 앞다리가 쑥~

팔딱팔딱 개구리 됐네.

월 일 요일 확인

신나는 글읽기

글마중을 읽고 노래를 불러 보세요.

① '쑥~'에 힘을 주어 읽어 보세요.

② 〈올챙이와 개구리〉 노래를 들으며 아래 빈칸에 알맞은 가사를 써 넣어 보세요.

③ 이제 신 나게 노래를 불러 볼까요?

개울가에 ________ 한 마리

꼬물꼬물 헤엄치다

________가 쑥~ ________가 쑥~

팔딱팔딱 개구리 됐네.

꼬물꼬물 꼬물꼬물 꼬물꼬물 올챙이가

________가 쑥~ ________가 쑥~

팔딱팔딱 개구리 됐네.

이야기 돋보기

월 일 요일 확인

다음 글을 읽고 알맞은 답을 고르거나 쓰세요.

개울가에 올챙이 한 마리 꼬물꼬물 헤엄치다
뒷다리가 쑥 앞다리가 쑥 팔딱팔딱 개구리 됐네.

1. 올챙이가 어디에서 헤엄치고 있나요? ············ ( )

① 바닷가 ② 강가 ③ 개울가

2. 올챙이가 무엇이 되었나요? [ ]

3. 개구리는 어느 다리가 먼저 나오나요? ············ ( )

① 앞다리 ② 뒷다리 ③ 오른 다리

4. 올챙이가 헤엄치는 모양을 나타내는 말을 찾아 써 보세요.

[ ]

5. 개구리가 뛰는 모양을 나타내는 말을 찾아 써 보세요.

[ ]

월 일 요일 확인

동물의 이름과 화살표로 표시된 부위의 명칭을 써 보세요.

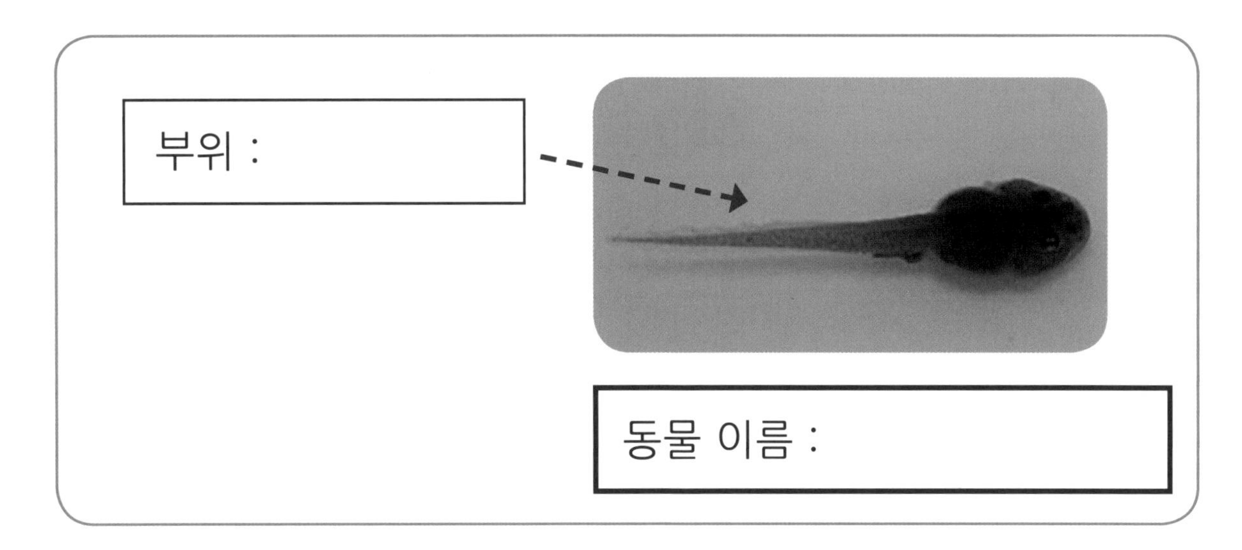

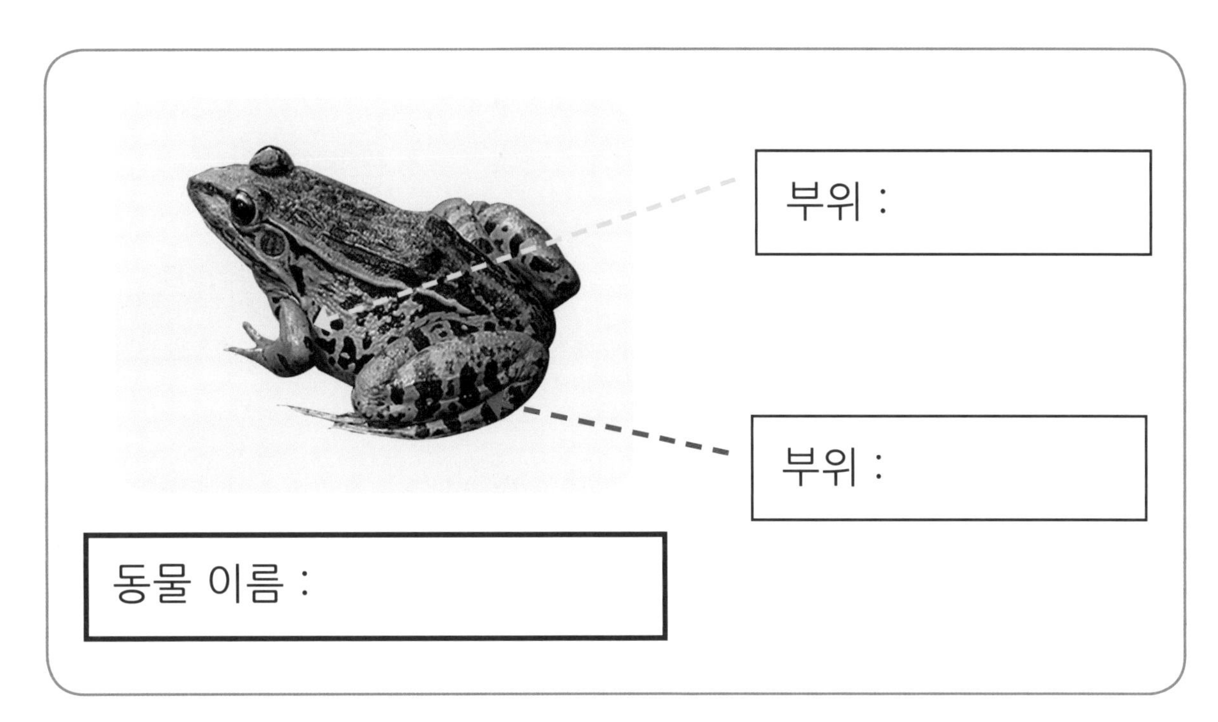

〈보기〉 올챙이 개구리 꼬리 뒷다리 앞다리

글마중

고기잡이

작사, 작곡 윤극영

1. 고기를 잡으러 바다로 갈까나
고기를 잡으러 강으로 갈까나
이 병에 가득히 넣어 가지고서
라라라라 라라라라 온다나

2. 선생님 모시고 가고 싶지만은
하는 수 있나요 우리만 가야지
하는 수 있나요 우리만 가야지
라라라라 라라라라 간다나

3. 솨솨솨 쉬쉬쉬 고기를 몰아서
어여쁜 이 병에 가득히 차면은
선생님한테로 가지고 온다나
라라라라 라라라라 굳바이

월 일 요일 확인

신나는 글읽기

글마중을 읽고 노래를 불러 보세요.

① 선생님과 한 줄씩 번갈아 읽어 보세요.

② 혼자서 씩씩하게 읽어 보세요.

③ 고기잡이 노래를 들으며 물고기를 색칠해 보세요.

④ 신 나게 고기잡이 노래를 불러 보세요.

이야기 돋보기

월　　일　　요일　확인

다음 글을 읽고 알맞은 답을 고르거나 쓰세요.

고기를 잡으러 바다로 갈까나
고기를 잡으러 강으로 갈까나
이 병에 가득히 넣어 가지고서
라라라라 라라라라 온다나

1. 무엇을 잡으러 간다고 했나요? ( )

① 새우　② 조개　③ 고기　④ 고래

2. 고기를 잡으러 어디로 가나요? 모두 고르세요.( ),( )

① 호수　② 바다　③ 강　④ 연못

3. 고기를 잡으면 어디에 넣을까요? ( )

① 주머니에 넣어요.　② 컵에 넣어요.
③ 통에 넣어요.　④ 병에 넣어요.

4. 밑줄 친 고기는 무슨 고기일까요? ( )

① 돼지고기　② 물고기　③ 닭고기　④ 불고기

5. 바다나 강에 사는 물고기 이름을 3가지 쓰세요.

[　　　　], [　　　　], [　　　　]

월 일 요일 확인

이야기 돋보기

다음 글을 읽고 알맞은 답을 고르세요.

선생님 모시고 가고 싶지만은
하는 수 있나요 우리만 가야지
라라라라 라라라라 간다나

1. 누구를 모시고 가고 싶다고 했나요? ( )

① 요리사 ② 선생님 ③ 경찰관 ④ 엄마

솨솨솨 쉬쉬쉬 고기를 몰아서
어여쁜 이 병에 가득히 차면은
선생님한테로 가지고 온다나

2. '솨솨솨 쉬쉬쉬'는 무슨 소리인가요? ( )

① 오줌 누는 소리 ② 비 오는 소리
③ 고기를 모는 소리 ④ 물 뿌리는 소리

3. 고기를 얼마나 잡고 싶은가요? ( )

① 병에 가득히 잡고 싶어요. ② 세 마리 잡고 싶어요.
③ 조금 잡고 싶어요. ④ 잡고 싶지 않아요.

4. 잡은 고기를 누구한테 가지고 온다고 하나요? ( )

① 요리사 ② 아빠 ③ 경찰관 ④ 선생님

월 일 요일 확인

물고기가 사는 곳을 알맞게 연결해 보세요.

다음 빈칸에 알맞은 장소의 이름을 써 보세요.

상어는 ☐ 에 살아요.

붕어는 ☐ 에 살아요.

붕어는 ☐ 에도 살아요.

쉬리는 ☐ 에 살아요

월 일 요일 확인

풀이말에 대해 알아봅시다

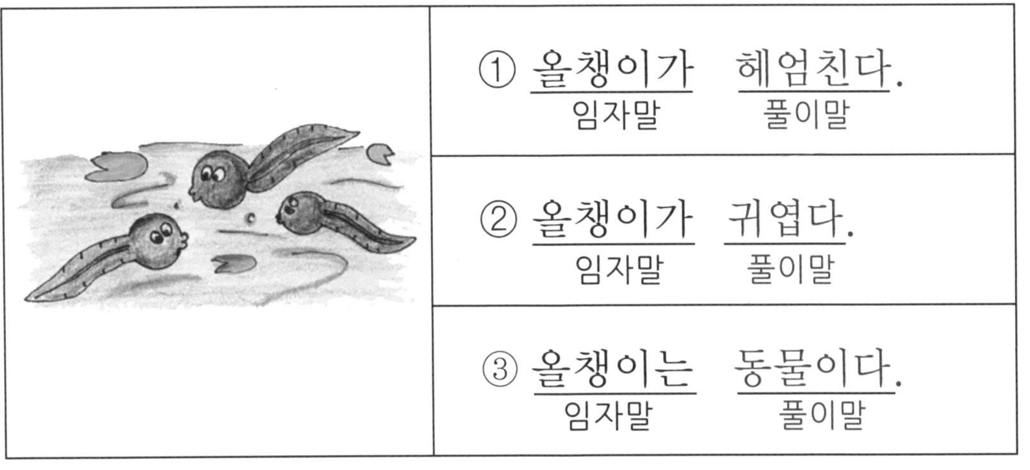

	① 올챙이가(임자말) 헤엄친다(풀이말).
	② 올챙이가(임자말) 귀엽다(풀이말).
	③ 올챙이는(임자말) 동물이다(풀이말).

위의 문장에서 '헤엄친다'는 움직임을 나타내고, '귀엽다'는 상태, '동물이다'는 성질을 나타내는 풀이말입니다.

문장에서 임자말의 움직임, 상태, 성질을 나타내는 말을 풀이말이라고 합니다. 풀이말은 '어찌하다', '어떠하다', '무엇이다'에 해당하는 말입니다.

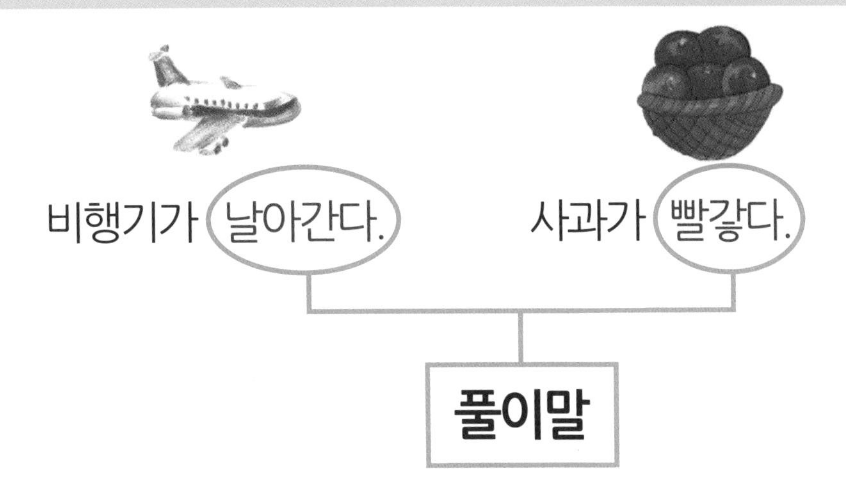

선생님께 한마디 문장성분이나 용어를 익히는 것보다 문장구조에 맞게 쓰는 것이 목표입니다. 학생들의 연령이나 능력에 따라 '풀이말' 대신 '어찌하다', '어떠하다', '무엇이다'로 설명해주어도 좋습니다.

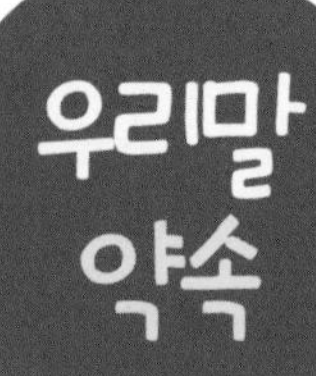

월 일 요일 확인

풀이말에 ○ 하세요.

	개구리가 팔짝팔짝 뛴다.
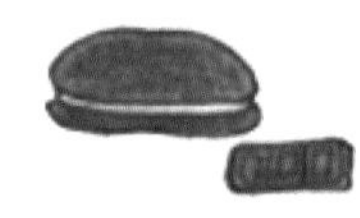	초코파이가 달콤하다.
	자동차는 탈것이다.
	아이들이 씨름을 한다.

선생님께 한마디 '무엇이(누가) 어찌하다', '무엇이(누가) 어떠하다', '무엇은 무엇이다', '무엇이 무엇을 어찌하다'의 기본적인 문장에서 풀이말은 '어찌하다', '어떠하다', '무엇이다'입니다.

우리말 약속

월 일 요일 확인

풀이말에 ○ 하세요.

하늘에서 눈이 온다.

풀이말

다람쥐가 도토리를 먹는다.
우산 셋이 나란히 걸어간다.
허수아비가 팔을 벌린다.
도토리가 떼굴떼굴 굴러간다.
명수가 늦잠을 잔다.

선생님께 한마디 '무엇이(누가) 어찌하다'로 구성된 문장에서 '어찌하다'는 임자말의 움직임을 나타내는 풀이말입니다.

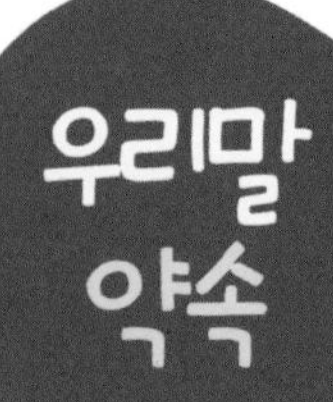

월 일 요일 확인

풀이말에 ○ 하세요.

민들레꽃이 노랗다.

풀이말

	옥수수가 무척 고소하다.
	비행기가 빠르다.
	날씨가 매우 흐리다.
	몸이 깨끗해졌습니다.
	손톱이 빨갛게 물들었어요.

선생님께 한마디 '무엇이(누가) 어떠하다'로 구성된 문장에서 '어떠하다'는 임자말의 상태를 나타내는 풀이말입니다.

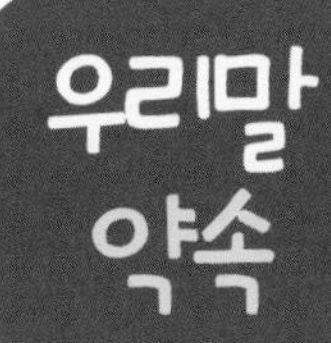

월 일 요일 확인

풀이말에 ○ 하세요.

도토리는 열매이다.

풀이말

	토마토는 채소이다.
	금붕어는 물고기이다.
	채송화는 꽃이다.
	햄버거는 음식이다.
	말은 동물이다.

선생님께 한마디 '무엇은 무엇이다'로 구성된 문장에서 '무엇이다'는 임자말의 성질을 나타내는 풀이말입니다.

글마중

그림 일기(1)

9월 25일 일요일

제목: 잠자리와 고구마

시골 할머니 댁에 놀러 갔다.

아빠와 함께 잠자리도 잡고 맛있는

고구마도 캤다.

참 재미있는 하루였다.

선생님께 한마디 그림 일기(1)~(3)은 그림을 보며 일기글을 이해하고, 일기 내용에 맞는 그림을 그리는 것을 목표로 하여 단계별로 활동을 제시하였습니다.

월 일 요일 확인

신나는 글읽기

그림을 낱말로 바꾸어 다음을 읽어 보세요.

제목 : 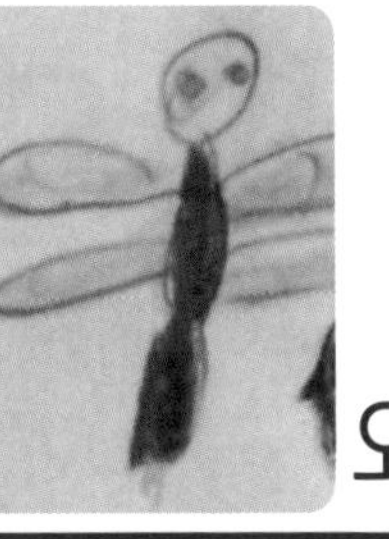 와 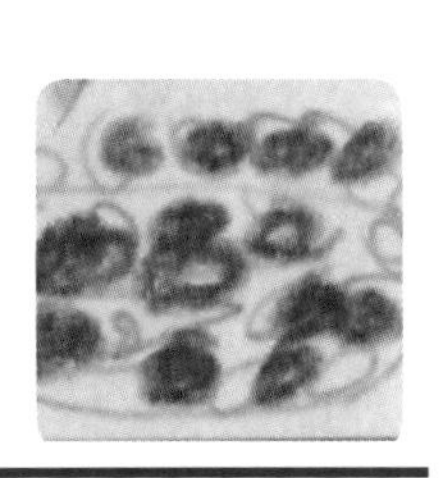

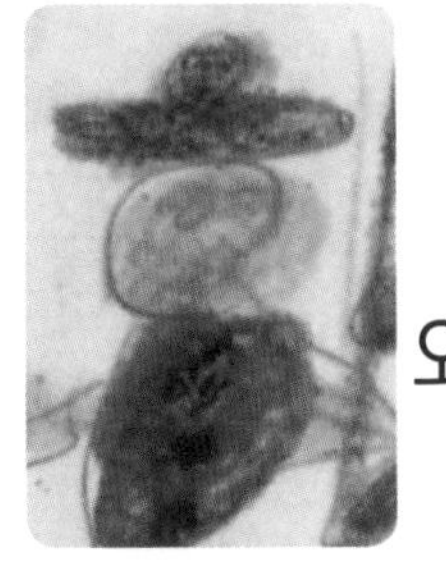 와  는 할머니 댁에서

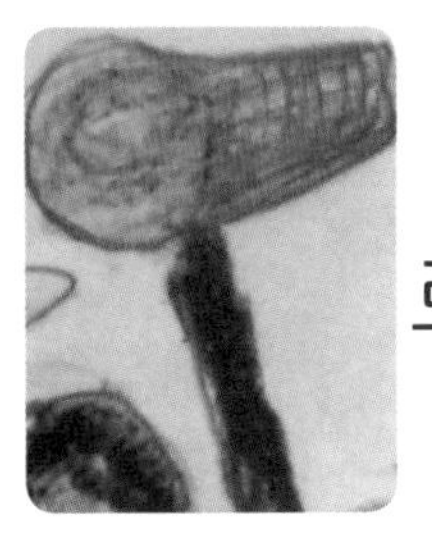 로 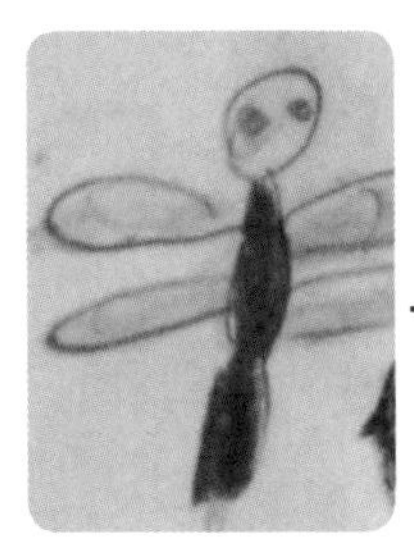 를 잡았어요.

맛있는 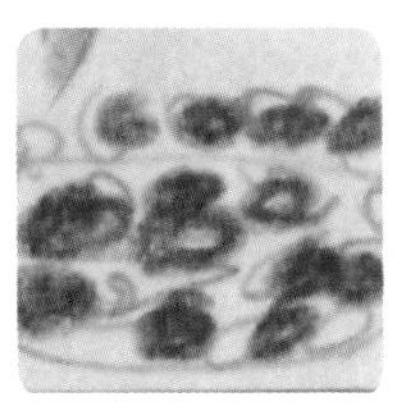 도 캤어요.

이야기 돋보기

월 일 요일 확인

다음 글을 읽고 알맞은 답을 고르거나 쓰세요.

9월 25일 일요일 제목: 잠자리와 고구마

시골 할머니 댁에 놀러 갔다.

1. 언제 쓴 일기인가요? [ ] 월 [ ] 일 [ ] 요일

2. 어디에 놀러 갔나요? ( )

① 시골 할머니 댁 ② 서울 할아버지 댁 ③ 시골 고모 댁

아빠와 함께 잠자리도 잡고 맛있는 고구마도 캤다.

참 재미있는 하루였다.

3. 아빠와 함께 무엇을 잡았나요? ( )

① 닭 ② 물고기 ③ 잠자리 ④ 개구리

4. 무엇을 캤나요? ( )

① 감자 ② 고구마 ③ 토란 ④ 양파

5. 오늘 하루는 어땠나요?

참 [ ] 하루였다.

월 일 요일 확인

뽐내기

그림 일기를 쓸 때는 내용에 알맞은 그림을 그려야 합니다. 일기를 보고 어울리는 그림을 찾아 붙임자료를 붙이세요.

어제 주말농장에 가서 상추씨를 뿌렸다.
엄마, 아빠, 동생이랑 농장에서 도시락을
먹었다. 열심히 일하고 나서 먹으니까
참 맛있었다.

* 붙임자료는 141쪽에 있습니다.

글마중

그림 일기(2)

10월 24일 일요일

제목: 품새

오늘 국기원에서 태권도 심사를 보았다.

내 번호는 24번이었다. 태권도장에서 열심히

연습한 대로 품새를 했다. 사범님께서 잘했다고

칭찬해주셨다.

월 일 요일 확인

신나는 글읽기

그림 일기를 쓰려고 합니다. 일기의 내용에 맞게 어떤 그림을 그려야 할까요? 맞는 그림을 연결해 보세요.

오늘 국기원에서 태권도 심사를 보았다.
내 번호는 24번이었다.
열심히 품새를 했다.

시골 할머니 댁에 놀러 갔다.
아빠와 함께 잠자리도 잡고 고구마도 캤다.

이야기 돋보기

월 일 요일 확인

다음 글을 읽고 알맞은 답을 고르거나 쓰세요.

오늘 국기원에서 태권도 심사를 보았다.
내 번호는 24번이었다.

1. 국기원에서 무엇을 했나요? ( )

① 태권도 심사 ② 피아노 숙제검사 ③ 자전거 면허시험

2. 내 번호는 몇 번이었나요? [ ]번

태권도장에서 열심히 연습한 대로 품새를 했다.
사범님께서 잘했다고 칭찬해 주셨다.

3. 어디에서 연습했나요? [ ]

4. 국기원에 가서 무엇을 했나요? ( )

① 품새 ② 겨루기 ③ 격파 ④ 경기

5. 누가 잘했다고 칭찬해 주셨나요? [ ]

월 일 요일 확인

뽐내기

일기 내용에 맞는 그림을 붙임자료 에서 찾아 붙이세요.

할머니와 봉숭아 물을 들였다. 봉숭아 꽃과 잎을 빻고 백반을 넣었다. 빨간색이 참 예뻤다.	선생님이 줄넘기 숙제를 내주셔서 줄넘기를 했다. 50번이나 넘었다.
엄마, 아빠, 동생과 캠핑을 했다. 텐트를 치고 고기도 구워 먹었다. 재미있었다.	옆집 아주머니가 옥수수를 쪄다 주셨다. 참 달고 맛있었다.

* 붙임자료는 141쪽에 있습니다.

선생님께 한마디 일기글을 잘 읽고 그림을 붙이면서 주요 단어와 그림을 찾아보게 해주세요.

글마중

그림 일기(3)

10월 24일 일요일

제목: 바자회

교회에서 바자회를 열었다. 나도 물건을 파는 판매 보조를 했다. 붕붕카와 말을 기증했는데 팔리지 않았다. 하지만 바자회는 정말 재미있었고, 엄마가 맛있는 어묵과 순대를 사 주셔서 기분이 더 좋았다.

월 일 요일 확인

신나는 글읽기

다음 중 일기의 내용과 관련된 것만 ○ 하세요.

이야기 돋보기

월 일 요일 확인

다음 글을 읽고 알맞은 답을 고르거나 쓰세요.

교회에서 바자회를 열었다.
나도 물건을 파는 판매 보조를 했다.
붕붕카와 말을 기증했는데 팔리지 않았다.

1. 어디에서 바자회를 열었나요? [ ]

2. 나는 바자회에서 어떤 역할을 했나요? ( )

① 안내 ② 판매 보조 ③ 노래 ④ 정리정돈

3. 무엇을 기증했나요? [ ] 와 [ ]

4. 내가 기증한 물건은 어떻게 되었나요? ( )

① 비싸게 팔렸다. ② 팔리지 않았다. ③ 망가졌다.

하지만 바자회는 정말 재미있었고, 엄마가 맛있는
어묵과 순대를 사주셔서 기분이 더 좋았다.

5. 바자회는 어땠나요? ( )

① 신기했다 ② 재밌었다 ③ 놀라웠다 ④ 슬펐다

6. 엄마는 맛있는 무엇을 사주셨나요? ( ),( )

① 순대 ② 쥐포 ③ 어묵 ④ 떡볶이

월 일 요일 확인

뽐내기

다음은 영민이의 그림 일기입니다. 큰 소리로 읽어보고 어울리는 그림을 그려 보세요.

11월 10일 토요일

제목: 등산

이모, 이모부와 같이 불암산으로 등산을 갔다.

산길이 힘들었다. 특히 바위 타는 일이 가장

힘들었다. 불암산 꼭대기에는 태극기가 달려

있었다. 끝까지 산에 오르고 나니 기분이 좋았다.

우리말 약속

월 일 요일 확인

지나간 일을 나타내는 풀이말을 알아봅시다.

교회에서 바자회를 열었다.
풀이말

나도 물건을 팔았다.
풀이말

지나간 일을 나타낼 때는 풀이말에 '았' 또는 '었'을 씁니다.

단이는 밭에 물을 주었다.
풀이말

아빠는 배추를 뽑았다.
풀이말

지나간 일을 나타내는 '았'이나 '었'을 찾아 ○ 하세요.

엄마와 함께 부침개를 (만들었다. / 만든다.)

밀가루에 계란을 풀고 김치도 (넣는다. / 넣었다.)

나는 부침개를 맛있게 (먹었다. / 먹는다.)

엄마가 어묵을 사주셔서 기분이 (좋다. / 좋았다.)

내려오다가 정선기념관도 (보았다. / 본다.)

우리말 약속

월 일 요일 확인

지나간 일을 나타내는 풀이말을 알아봅시다.

문구점에 갔다.
(갔다: 풀이말)

가위를 사가지고 왔다.
(왔다: 풀이말)

어떤 풀이말은 '았'이나 '었'이 아니라 'ㅆ'만 보입니다.
쌍시옷(ㅆ)만 보여도 지나간 일이랍니다.

할머니 댁에 놀러 갔다.

맛있는 고구마도 캤다.

지나간 일을 나타내는 풀이말을 찾아 ○ 하세요.

저녁을 먹고 엄마와 함께 문구점에 (갔다. / 간다.)

빨간색 가위를 사려고 (한다. / 했다.)

가위 진열대를 열심히 (찾아봤다. / 찾아본다.)

하지만 노란색 가위만 (보였다. / 보인다.)

할 수 없이 노란색 가위를 사가지고 (온다. / 왔다.)

우리말 약속

월 일 요일 확인

지난간 일을 나타내는 풀이말을 써 보세요.

나는 양말을 신는다.

↓

나는 양말을 신었다.

지수가 웃는다.

↓

지수가 ____________

승석이는 이를 닦는다.

↓

승석이는 이를 ____________

성현이가 책을 읽는다.

↓

성현이가 책을 ____________

영석이는 밥을 먹는다.

↓

영석이는 밥을 ____________

월 일 요일 

우리말 약속

지난간 일을 나타내는 풀이말을 써 보세요.

나는 태권도 품새를 [했다.]

	가족과 시립미술관에 [ ]
	마트에서 과일을 [ ]
	비가 와서 장화를 [ ]
	이모네 식구들과 영화를 [ ]
	은수가 사진을 [ ]
	캠핑 가서 고기를 [ ]

글마중

주말에 뭐했니? (1)

(누구랑 어디에서 무엇을 했는지 말해 보세요.)

선문: “저는 화분에 꽃을 심었습니다.”

하진: “엄마와 미용실에 가서 머리를 잘랐어요.”

윤서: “저는 색종이로 종이비행기를 만들었어요.”

선호: “토요일에 병원에서 약을 받았습니다.”

민기: “엄마와 공원에서 줄넘기를 했어요.”

희수: “저는 교회에서 떡볶이를 만들어 먹었습니다.”

수정: “주말에 이모네 식구들과 영화를 보았어요.”

선생님께 한마디 주말에 뭐했니?(1)은 경험한 일 말하기 1단계로 ‘어디에서 무엇을 했는지’, ‘누구와 무엇을 했는지’ 말한 것을 중심으로 제시하였습니다.

월 일 요일 확인

신나는 글읽기

누구의 주말 이야기인지 알맞게 연결해 보세요.

선문 •	• 
하진 •	• 
윤서 •	• 
민기 •	• 
선호 •	• 
희수 •	• 
수정 •	• 

선생님께 한마디 주말이야기를 읽고 주요 내용과 관련된 그림을 연결하는 활동입니다.

이야기 돋보기

월 일 요일 확인

다음 글을 읽고 알맞은 답을 고르거나 쓰세요.

선문: "저는 화분에 꽃을 심었습니다."

1. 선문이는 화분에 무엇을 심었나요? ( )

① 나무 ② 꽃 ③ 선인장 ④ 씨

2. 선문이는 꽃을 어디에 심었나요? [ ]

하진: "엄마와 미용실에 가서 머리를 잘랐어요."

3. 하진이는 어디에 가서 머리를 잘랐나요? ( )

① 병원 ② 아빠 ③ 미용실 ④ 하진

4. 누구와 함께 머리를 자르러 갔나요? ( )

① 엄마 ② 아빠 ③ 할머니 ④ 동생

윤서: "저는 색종이로 종이비행기를 만들었어요."

5. 윤서는 무엇을 만들었나요? ( )

① 색종이 ② 윤서 ③ 종이비행기 ④ 꽃

6. 윤서는 종이비행기를 무엇으로 만들었나요? ( )

① 색종이 ② 윤서 ③ 종이비행기 ④ 도화지

월 일 요일 확인

이야기 돋보기

다음 글을 읽고 알맞은 답을 고르거나 쓰세요.

선호: "토요일에 병원에서 약을 받았습니다."
민기: "엄마와 공원에서 줄넘기를 했어요."

1. 선호는 병원에서 무엇을 받았나요? ( )

① 토요일 ② 약 ③ 사탕 ④ 병원

2. 민기는 어디에서 줄넘기를 했나요? [ ]

3. 민기는 누구와 줄넘기를 했나요? [ ]

희수: "저는 교회에서 떡볶이를 만들어 먹었습니다."
수정: "주말에 이모네 식구들과 영화를 보았어요."

4. 희수는 무엇을 만들어 먹었나요? ( )

① 떡꼬치 ② 떡볶이 ③ 떡라면 ④ 떡국

5. 수정이는 주말에 누구와 영화를 보았나요? ( )

① 고모 ② 친구 ③가족 ④ 이모네 식구들

6. 수정이는 주말에 무엇을 보았나요? [ ]

월 일 요일 확인

'주말'은 언제일까요? 빈칸에 알맞은 말을 넣으세요.

주말 → 일주일의 끄트머리. 토요일과 일요일

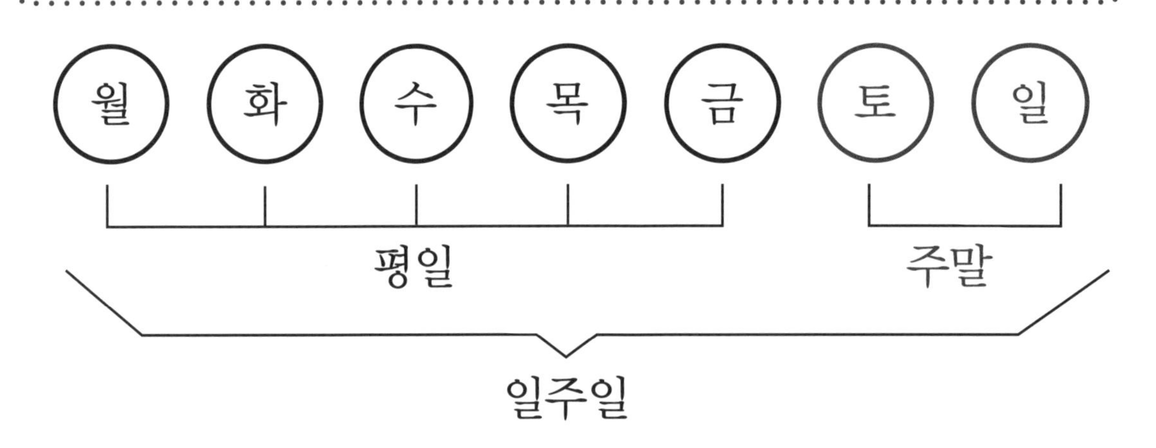

- 월요일부터 금요일까지를 [ ] 이라고 합니다.
- 토요일과 일요일을 [ ] 이라고 합니다.
- 일주일은 평일과 주말을 합쳐서 모두 [ ] 일입니다.

읽어 보세요.

나는 주말에 학교에 가지 않아요.

엄마는 평일에 회사에 가서 일하십니다.

이번 주말에 우리 가족은 1박 2일 동안 여행가요.

월 일 요일 확인

낱말 창고

장소를 나타내는 말을 찾아 ○ 하세요. 장소를 나타내는 말은 '에'나 '에서'가 붙습니다.

윤아는 (학교에) 갑니다.

진호는 (수영장에서) 수영을 배웁니다.

	길가에 노란 개나리가 피었어요.
	마당에 하얀 목련꽃도 피었어요.
	학교 뜰에 핀 철쭉도 예뻐요.
	친구들은 놀이터에서 놉니다.
	돌 틈에 있는 노란 민들레도 인사하네요.
	수지는 문구점에서 풀을 삽니다.

월 일 요일 확인

장소를 나타내는 말을 넣어 문장을 완성해 보세요.

진우와 [교실에서] 공기놀이를 했습니다.
어디에서

[운동장에] 가니 줄넘기를 하고 있었습니다.
어디에서

아이들은 [ ] 소꿉놀이를 합니다. 어디에서
사자는 [ ] 잠을 잡니다. 어디에서
친구들은 [ ] 공놀이를 합니다. 어디에서
명수는 장난감을 [ ] 담습니다. 어디에
진호는 숟가락을 [ ] 놓습니다. 어디에
지수는 [ ] 갑니다. 어디에

월 일 요일 확인

뽐내기

주말 이야기를 말해 보세요. 그림을 보고 아래의 틀에 맞추어 문장을 만들어 보세요.

	누가	무엇으로	무엇을	했다.
	소현이	하모니카	산토끼 노래	불었다.
	소현이는 산토끼 노래를 하모니카로 불었다.			

	누가	어디에서	무엇을	했다.
	도형이	한강	배	

	누구와	어디에서	무엇을	했다.
		냇가	돌탑	

나의 주말 이야기를 말해 보세요.				

선생님께 한마디 아이가 말한 주말 이야기를 듣고 제일 위의 칸에 문장구조를 써 주세요. 선생님이 써준 문장구조에 맞춰 낱말을 쓸 수 있도록 도와주세요.

글마중

주말에 뭐했니? (2)

(언제 어디에서 무엇을 했는지 말해 보세요.)

수정: “일요일에 예배 끝나고 햄버거를 먹었습니다.”

하진: “토요일에 엄마와 지하철 2호선을 탔어요.”

선문: “저는 일요일에 시립미술관을 구경했습니다.”

민기: “극장에서 쿵푸팬더2를 보았습니다.
팝콘과 콜라도 먹었습니다.”

윤서: “농장에서 잡아온 올챙이가 뒷다리가 나왔어요.”

선호: “학교에서 열린 체육대회에서 남자 우수선수상을
탔습니다.”

희수: “국립중앙과학관에서 물로켓과 로봇을 봤어요.”

현정: “우리 가족은 일요일 저녁에 텔레비전에서
개그콘서트를 보았습니다.”

선생님께 한마디 주말에 뭐했니?(2)는 경험한 일 말하기 2단계로 ‘언제, 어디에서, 무엇을 했는지’ 말한 것을 중심으로 엮었습니다.

월 일 요일 확인

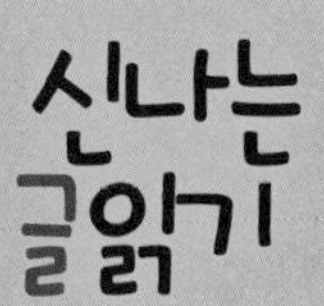

글마중을 다시 읽고 중심 단어를 찾아보세요.

선문 •	• 지하철
하진 •	• 시립미술관
윤서 •	• 올챙이
현정 •	• 우수선수상
민기 •	• 개그콘서트
선호 •	• 쿵푸팬더
희수 •	• 햄버거
수정 •	• 물로켓

선생님께 한마디 발표한 주말이야기 문장 중 중심단어를 찾아보는 활동을 해 보세요. 주요 내용을 파악하고, 주제를 중심으로 자세히 말하는 능력이 향상됩니다.

이야기 돋보기

월 일 요일 확인

다음 글을 읽고 알맞은 답을 고르거나 쓰세요.

수정: "일요일에 예배 끝나고 햄버거를 먹었습니다."

1. 수정이는 [ ] 에 예배를 보았습니다.

2. 수정이는 예배 끝나고 무엇을 먹었나요? ( )

① 샌드위치 ② 햄버거 ③ 핫도그 ④ 일요일

하진: "토요일에 엄마와 지하철 2호선을 탔어요."

선문: "저는 일요일에 시립미술관을 구경했습니다."

3. 하진이는 언제 지하철을 탔나요? ( )

① 월요일 ② 수요일 ③ 토요일 ④ 일요일

4. 하진이는 누구와 지하철을 탔나요?

하진이는 [ ] 와 지하철을 탔어요.

5. 하진이는 지하철 몇 호선을 탔나요? ( )

① 2호선 ② 3호선 ③ 4호선 ④ 5호선

6. 선문이는 어디를 구경했나요? ( )

① 시립미술관 ② 국립중앙박물관 ③ 현대미술관

월 일 요일 확인

이야기 돋보기

다음 글을 읽고 알맞은 답을 고르거나 쓰세요.

민기: "극장에 가서 쿵푸팬더2를 보았습니다.
팝콘과 콜라도 먹었습니다."

1. 민기는 무엇을 보았나요? [ ]

2. 민기는 어디에서 쿵푸팬더를 보았나요? ········ ( )

① 극장 ② 쿵푸팬더 ③ 시장 ④ 학원

3. 민기는 극장에서 무엇을 먹었나요? ( ),( )

① 콜라 ② 쥐포 ③ 팝콘 ④ 나초

윤서: "농장에서 잡아온 올챙이가 뒷다리가 나왔어요."

4. 윤서는 농장에서 무엇을 잡아왔나요? ········ ( )

① 다슬기 ② 개구리 ③ 올챙이 ④ 닭

5. 올챙이가 어떻게 되었나요? ········ ( )

① 뒷다리가 나왔다. ② 앞다리가 나왔다.
③ 꼬리가 나왔다. ④ 머리가 나왔다.

6. 올챙이는 어디에서 잡아온 것인가요? ········ ( )

① 농장 ② 냇가 ③ 논 ④ 극장

이야기 돋보기

월 일 요일 확인

다음 글을 읽고 알맞은 답을 고르거나 쓰세요.

선호: "학교에서 열린 체육대회에서 남자 우수선수상을 탔습니다."

1. 선호는 무슨 상을 탔나요? ( )

① 여자 우수선수상 ② 남자 우수선수상 ③ 최우수선수상

2. 선호는 무슨 대회에서 상을 탔나요? ( )

① 체육대회 ② 미술대회 ③ 동요대회 ④ 독서퀴즈

희수: "국립중앙과학관에서 물로켓과 로봇을 봤어요."

현정: "우리 가족은 일요일 저녁에 텔레비전에서 개그 콘서트를 보았습니다."

3. 희수는 국립중앙과학관에서 무엇을 보았나요? ( ), ( )

① 로봇 ② 별자리 ③ 물로켓 ④ 과학책

4. 현정이 가족은 언제 텔레비전을 보았나요?

[ ] [ ] 에

5. 텔레비전에서 무엇을 보았나요? ( )

① 1박 2일 ② 런닝맨 ③ 개그콘서트 ④ 뉴스

월 일 요일 확인

'시립'과 '국립'은 무슨 뜻인가요?

시립 → 시에서 운영하는 곳

국립 → 나라에서 운영하는 곳

시립기관의 이름은 초록색, 국립기관의 이름은 노란색으로 ○ 하세요.

월 일 요일 확인

다음 문장에서 시간을 나타내는 말을 찾아보세요.

(아침식사 때) 엄마를 도와 식사준비를 합니다.
언제

(자기 전에) 미리 가방을 쌉니다.
언제

	청소시간에 신발장을 정리합니다.
	토요일에 동생과 놀아주었습니다.
	정리시간에 장난감을 정리합니다.
	한밤중에 꿈을 꾸었습니다.
	아침에 학교에 갑니다.
	일요일에 실내화를 스스로 빱니다.

월 일 요일 확인

낱말 창고

시간을 나타내는 말을 넣어 <보기>에서 찾아 문장을 완성해 보세요.

[물놀이 하기 전에] 준비운동을 합니다.
(언제)

5학년은 [2교시]에 건강검사를 했습니다.
(언제)

	[ ] 손을 씻습니다. (언제)
	소희는 [ ] 물놀이를 했습니다. (언제)
	미진이는 [ ] 숙제를 합니다. (언제)
	강희는 [ ] 책을 봅니다. (언제)
	[ ] 달리기를 했습니다. (언제)

<보기> 아침에 여름방학에 저녁에 밥 먹기 전에 토요일에 쉬는 시간에 체육시간에

뽐내기

월 일 요일 확인

주말이야기를 말해 보세요. 그림을 보고 아래의 틀에 맞추어 문장을 만들어 보세요.

	언제	어디에서	무엇을	했어요.
	토요일	제주도	말	탔어요.
	토요일에			

	어디에서	무엇과	무엇을	했어요.
	동물원			봤어요.

	언제	누구와	무엇을	했어요.
	일요일		박물관	

나의 주말 이야기				

선생님께 한마디 아이가 말한 문장구조를 제일 위의 칸에 써 주시고 그 틀에 맞추어 문장을 쓸 수 있도록 도와주세요.

월 일 요일 확인

우리말 약속

그림을 보고 알맞은 풀이말을 연결해 보세요

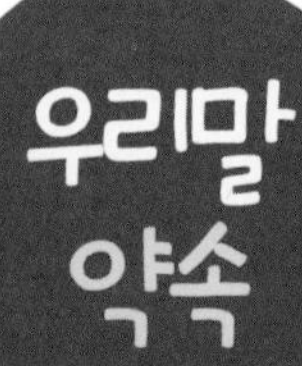

월 일 요일 확인

그림을 보고 알맞은 풀이말을 연결해 보세요

우리 가족은 밥을 • • 잽니다.

우리는 상추씨를 • • 먹습니다.

나는 잠자리를 • • 뿌렸습니다.

친구들과 키를 • • 잡았습니다.

아빠가 등산을 • • 갔습니다.

월 일 요일 확인

우리말 약속

그림을 보고 알맞은 풀이말에 ∨ 하세요.

☑ 기차가 칙칙폭폭 달린다.

☐ 기차가 데굴데굴 굴러간다.

	☐ 새가 짹짹짹짹 지저귄다. ☐ 새가 꿈틀꿈틀 기어간다.
	☐ 풍선이 굽이굽이 흐릅니다. ☐ 풍선이 둥실둥실 올라갑니다.
	☐ 거북이가 엉금엉금 기어갑니다. ☐ 거북이가 깡충깡충 뛰어갑니다.
	☐ 꽃이 팔짝 뛰었습니다. ☐ 꽃이 활짝 피었습니다.
	☐ 영수가 바람에 펄럭입니다. ☐ 영수가 쿨쿨 잠들었습니다.
	☐ 이가 고파서 밥을 먹었어요. ☐ 이가 아파서 병원에 갔어요.

선생님께 한마디 내용에 알맞은 풀이말을 찾는 활동입니다. 뜻을 구별하여 어울리는 문장을 만들 수 있도록 지도해 주세요.

우리말 약속

월 일 요일 확인

임자말에 어울리는 풀이말을 찾아 ○ 하세요.

채송화가 (먹었습니다. / 피었습니다. / 펄럭입니다.)

우산이 (파랗습니다. / 기어갑니다. / 헤엄칩니다.)
비행기가 (걸어간다. / 달린다. / 날아간다.)
얼음이 (얼었다. / 핀다. / 분다.)
태극기가 (지저귄다. / 펄럭인다. / 돋아난다.)

임자말에 어울리는 풀이말을 찾아 ○ 하세요.

아빠가 꽃밭을 (만들었어요. / 뿌렸어요.)
아빠가 새끼줄을 (피었어요. / 매어놓았어요.)
나는 애들하고 (뛰어놀았어요. / 높았어요.)
나는 아빠가 생각나서 꽃을 (돋아납니다. / 봅니다.)

주말에 뭐했니? (3)

글마중

(자세히 말해 봐요.)

선문: "일요일에 부모님과 이마트에 다녀왔습니다.
고기와 채소를 샀습니다."

민기: "저는 일요일에 태풍이 와서 집에서
푹 쉬었습니다."

현정: "토요일에 엄마, 오빠랑 지하철을 탔어요.
비가 와서 장화를 신고 우산을 썼어요."

수정: "저는 토요일에 엄마, 아빠와 함께 강릉에 가서
바다열차를 탔습니다."

희수: "토요일에 오빠랑 지하철역에서 엄마를
기다렸어요. 엄마가 팥빙수를 사주셨어요."

윤서: "일요일에 온 가족이 인천 해수욕장으로 놀러
갔습니다. 바다에 발도 담그고 재미있게 놀았
습니다."

선생님께 한마디 주말에 뭐했니?(3)은 주말에 한 일을 좀 더 자세히 설명한 것을 제시하였습니다. 경험한 일을 말할 때 한 일, 본 것, 들은 것을 좀 더 자세히 말하는 방법을 가르치는 것이 필요합니다.

신나는 글읽기

월 일 요일 확인

글마중을 다시 읽고 중심 단어나 문장을 찾아보세요.

글마중을 읽으면서 친구들이 어떤 내용으로 주말 이야기를 발표했는지 생각해 봅시다. 친구들이 말한 것 중 가장 중심이 되는 단어나 문장에 밑줄을 그어봅시다.

누가 발표한 내용일까요?

윤서 •	• 팥빙수를 사주셨어요.
희수 •	• 해수욕장에 놀러 갔어요.
수정 •	• 이마트에 갔어요.
민기 •	• 태풍이 왔어요.
선문 •	• 바다열차를 탔어요.
현정 •	• 지하철을 탔어요.

선생님께 한마디 발표한 내용 중 중심이 되는 문장을 찾도록 해 보세요. 중심 내용을 파악하는 능력을 기를 수 있습니다.

월 일 요일 확인

이야기 돋보기

다음 글을 읽고 알맞은 답을 고르거나 쓰세요.

선문: "일요일에 부모님과 이마트에 다녀왔습니다.
고기와 채소를 샀습니다."

1. 선문이는 일요일에 어디에 다녀왔나요? ········ (　　　)

① 이마트　② 롯데마트　③ 홈플러스　④ 시장

2. 선문이는 마트에서 무엇을 했나요? ········ (　　　)

① 고기와 생선을 샀다.　② 고기와 채소를 샀다.
③ 과자와 고기를 샀다.　④ 채소와 생선을 샀다.

민기: "저는 일요일에 태풍이 와서 집에서 푹 쉬었습니다."
수정: "저는 토요일에 엄마, 아빠와 함께 강릉에 가서
바다열차를 탔습니다."

3. 민기는 왜 일요일에 집에서 푹 쉬었나요?

[　　　　]이 와서

4. 수정이는 언제 강릉에 갔나요? [　　　　]

5. 수정이는 강릉에서 무엇을 탔나요? ········ (　　　)

① 코끼리열차　② 바다열차　③ 청룡열차　④ 배

이야기 돋보기

월 일 요일 확인

다음 글을 읽고 알맞은 답을 고르거나 쓰세요.

현정: "토요일에 엄마, 오빠랑 지하철을 탔어요.
비가 와서 장화를 신고 우산을 썼어요."

1. 현정이는 토요일에 무엇을 탔나요? [ ]

2. 비가 와서 어떻게 했습니까? 모두 고르세요.( )( )

① 슬리퍼를 신었어요. ② 장화를 신었어요.
③ 우산을 썼어요. ④ 비옷을 입었어요.

희수: "토요일에 오빠랑 지하철역에서 엄마를 기다렸어요.
엄마가 팥빙수를 사주셨어요."

3. 희수는 [ ]랑 지하철역에서 [ ]를 기다렸어요.

4. 엄마가 무엇을 사주셨나요? ( )

① 팥빙수 ② 아이스크림 ③ 단팥빵 ④ 팥죽

윤서: "일요일에 온 가족이 인천 해수욕장으로 놀러 갔습니다.
바다에 발도 담그고 재미있게 놀았어요."

5. 윤서네 가족은 어디에 놀러 갔나요? [ ]

6. 바다에 무엇을 담그고 놀았나요? [ ]

월 일 요일 확인

낱말 창고

장소를 나타내는 말 뒤에 '~로', '~으로'를 써 보세요.

온 가족이 인천 [해수욕장으로] 놀러 갔습니다.
어디로

	이가 아플 땐 [ ] 갑니다. (어디로)
	책을 빌리러 갈 땐 [ ] 갑니다. (어디로)
	학교에서 아플 땐 [ ] 갑니다. (어디로)
	물놀이를 하려고 [ ] 갑니다. (어디로)
	"점심 때 같이 놀게 [ ] 와." (어디로)
	"눈싸움하게 [ ] 와." (어디로)

월 일 요일 확인

헷갈리는 글자, '깨'와 '께'를 알아봅시다. 〈보기〉에서 골라 알맞은 낱말을 써 보세요.

〈보기〉
깨 → 어깨 깨 주근깨
께 → 함께 선생님께 수수께끼

낱말 창고

월　　일　　요일 확인

'바다'와 관련된 낱말을 알아봅시다. 빈칸에 맞는 말을 써 보세요.

바람이 불어서

[파도] 가 높아요.

바다와 땅이 만나는 곳	→	**바닷가, 해변**
물놀이할 수 있는 바닷가	→	**해수욕장**
큰 물결	→	**파도**
바다에 있는 물	→	**바닷물**

둘이 함께 [　　　　] 를 걸어요.

[　　　　] 이 아름다워요.

[　　　　] 에 사람이 많아요.

[　　　　] 이 차갑지 않아요.

뽐내기

월 일 요일 확인

무엇을 어떻게 했는지 자세히 말해 볼까요?

언제	일요일
누구와	오빠
어디에서	마당
무엇을 했나?	트리를 만들었다.
어떻게 했나?	화분에 나무를 심었다. 방울과 리본을 달았다.

일요일에 오빠랑 마당에서 트리를 만들었다.
화분에 나무를 심고 방울과 리본을 달았다.

주말에 지낸 일을 자세히 말해 보세요.

언제	
누구와	
어디에서	
무엇을 했나?	
어떻게 했나?	

주말에 뭐했니? (4)

글마중

(느낌도 말해 보세요.)

규민: "일요일에 막내고모가 사주신 블록으로 기린을 만들었어요. 막내고모가 최고예요."

지현: "토요일에 엄마랑 더하기를 처음 배웠습니다. 힘들었지만 재미있었습니다."

민찬: "일요일에 비가 너무너무 많이 와서 집에만 있었어요. 엄마가 김치부침개를 해주셔서 맛있게 먹었습니다."

가영: "저는 주말에 기침이 나서 집에서 쉬었습니다. 쉬었더니 이제 아프지 않습니다."

재윤: "비가 와서 일요일에 집에서 놀았습니다. 게임도 하고 색종이로 만들기를 하며 재미있게 놀았습니다."

선생님께 한마디 주말에 뭐했니(4)는 주말에 한 경험에 대한 느낌을 표현한 말을 중심으로 엮었습니다. 느낌을 표현할 때 생생하고 다양한 어휘를 사용하도록 해주세요.

신나는 글읽기

월 일 요일 확인

글마중을 다시 읽고 중심 단어나 문장을 찾아보세요.

글마중을 읽으면서 친구들이 어떤 내용으로 주말 이야기를 발표했는지 생각해 봅시다. 친구들이 말한 것 중 가장 중심이 되는 문장에 밑줄을 그어 봅시다.

누가 발표한 내용일까요?

민찬 •	• 색종이로 만들기를 했어요.
규민 •	• 김치부침개를 먹었어요.
재윤 •	• 더하기를 배웠어요.
가영 •	• 게임을 했어요.
지현 •	• 블록놀이를 했어요.
	• 기침이 나서 쉬었어요.

선생님께 한마디 듣거나 읽고 중심이 되는 문장을 찾도록 연습시켜 주세요.

월 일 요일 확인

이야기 돋보기

다음 글을 읽고 알맞은 답을 고르거나 쓰세요.

규민 : "일요일에 막내고모가 사주신 블록으로 기린을 만들었어요. 막내고모가 최고예요."

1. 규민이는 무엇으로 기린을 만들었나요? ( )

① 색종이 ② 블록 ③ 점토 ④ 크레파스

2. 규민이가 최고라고 생각하는 사람은 누구인가요? ( )

① 첫째고모 ② 막내고모 ③ 이모 ④ 삼촌

3. 규민이는 왜 막내고모를 최고라고 생각하나요? ( )

① 기린을 만들어 주셔서 ② 블록을 사 주셔서
③ 재미있어서 ④ 예뻐서

지현 : "토요일에 엄마랑 더하기를 처음 배웠습니다. 힘들었지만 재미있었습니다."

4. 지현이는 무엇을 처음 배웠나요? [ ]

5. 더하기 배우는 것은 어땠나요? 모두 고르세요.( ),( )

① 재미있었습니다. ② 지루했습니다.
③ 무서웠습니다. ④ 힘들었습니다.

이야기 돋보기

월 일 요일 확인

다음 글을 읽고 알맞은 답을 고르세요.

민찬: "일요일에 비가 너무너무 많이 와서 집에만 있었어요.
엄마가 김치부침개를 해주셔서 맛있게 먹었습니다."

1. 민찬이는 일요일에 왜 집에만 있었나요? ( )

① 귀찮아서 ② 비가 많이 와서 ③ 아파서 ④ 졸려서

2. 엄마가 무엇을 해주셨나요? ( )

① 부추부침개 ② 김치부침개 ③ 호박부침개

가영: "저는 주말에 기침이 나서 집에서 쉬었습니다.
쉬었더니 이제 아프지 않습니다."

3. 가영이는 왜 집에서 쉬었나요? ( )

① 비가 와서 ② 기침이 나서 ③ 콧물이 나서

4. 가영이는 왜 이제 아프지 않나요? ( )

① 병원에 가서 ② 약을 먹어서 ③ 쉬어서

재윤: "비가 와서 일요일에 집에서 놀았습니다. 게임도 하고
색종이로 만들기를 하며 재미있게 놀았습니다."

5. 재윤이가 집에서 한 일을 모두 찾으세요. ( ),( )

① 색종이로 만들기 ② 부침개 만들기
③ 영화보기 ④ 게임하기

월 일 요일 확인

'개'와 '게'를 구분해 써 봅시다. 〈보기〉에서 골라 쓰세요.

〈보기〉

개 → 부침개 찌개 조개 개나리

게 → 꽃게 베개 가게 게시판

낱말 창고

월 일 요일 확인

느낌을 표현하는 말을 <보기>에서 골라 빈칸에 써 보세요.

친구와 공기놀이를 하니 (   ).
이가 아파서 (   ).
친구가 놀려서 (   ).
잠을 자니 (   ).
엄마에게 야단을 맞아서 (   ).
현장학습을 가니 너무 (   ).

<보기>			
	속상해요	짜증나요	편안해요
	재밌어요	화가 나요	신이 나요

뽐내기

월 일 요일 확인

다음은 주말 일기를 발표한 것입니다. 발표한 사람의 느낌을 쓰고 얼굴표정을 그려 보세요.

수종: "저녁때 엄마랑 치과에 갔어요. 너무 많이 울어서 이를 빼지 못했어요. 저는 수요일에 빼기로 약속했습니다."

윤희: "집에서 발레연습을 했습니다. 땀을 많이 흘렸어요. 아빠가 잘한다고 칭찬해주셨습니다."

기분이 참 좋았습니다.

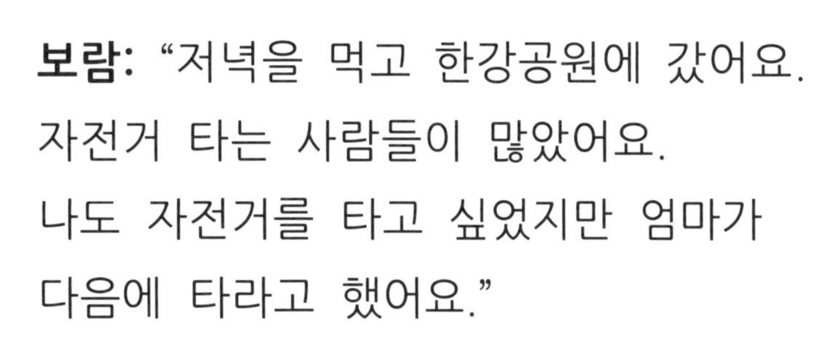

보람: "저녁을 먹고 한강공원에 갔어요. 자전거 타는 사람들이 많았어요. 나도 자전거를 타고 싶었지만 엄마가 다음에 타라고 했어요."

우리말 약속

월　　일　　요일 확인

그림에 어울리는 풀이말을 <보기>에서 골라 □안에 써 보세요.

<보기> 듣는다 탄다 읽는다 잡는다 쫓아간다

강아지가 지수를	□.
동생이 썰매를	□.
지수가 물고기를	□.
엄마가 책을	□.
영호가 음악을	□.

선생님께 한마디 내용에 알맞은 풀이말을 익히는 활동입니다. 보기의 낱말을 읽고 간단한 문장을 만들 수 있도록 지도해 주세요.

월 일 요일 확인

우리말 약속

그림에 어울리는 풀이말을 <보기>에서 골라 □안에 써 보세요.

<보기> 탔다 불었다 칭찬해주셨다 운동이다 먹었다

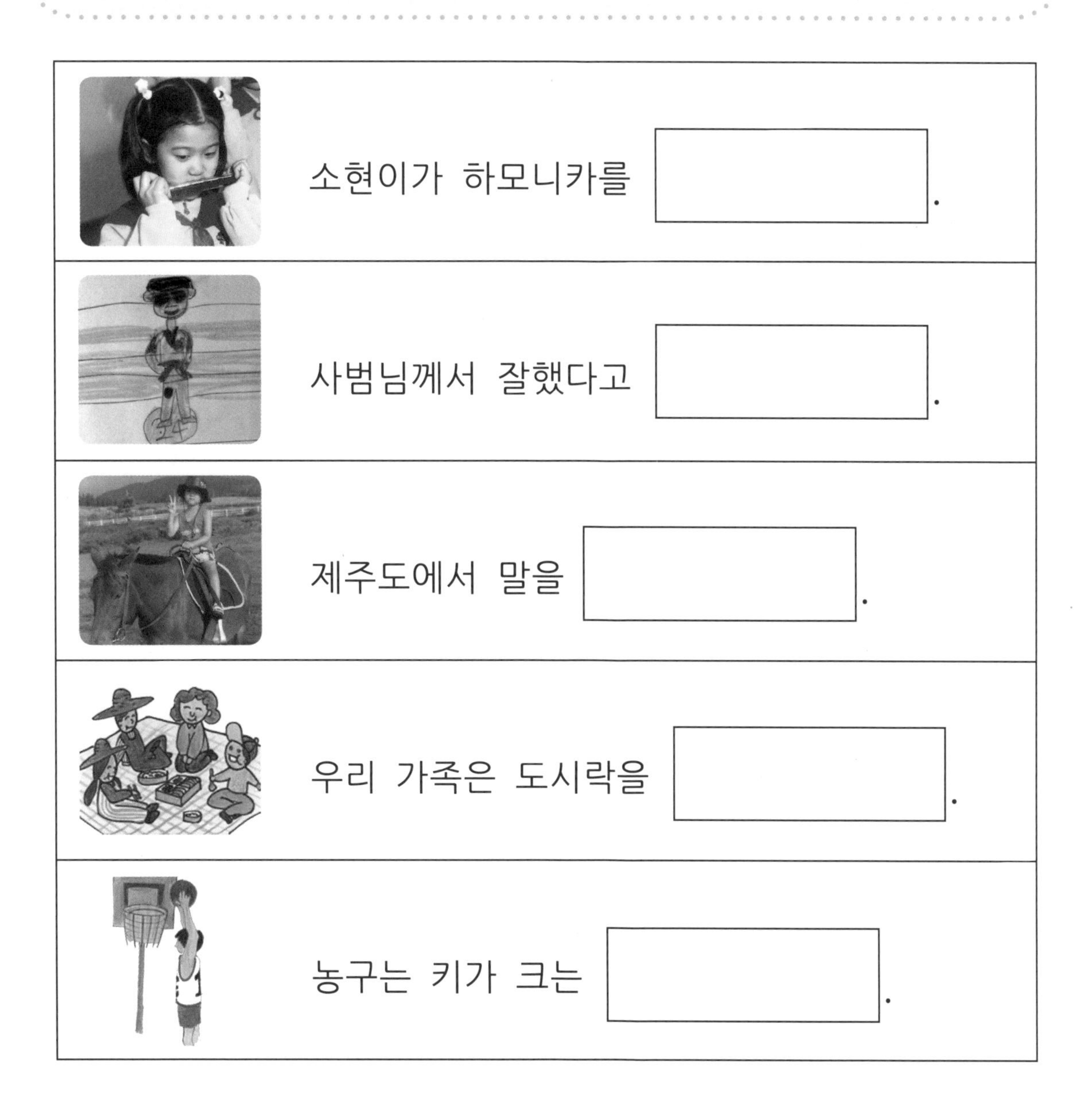

	소현이가 하모니카를 □.
	사범님께서 잘했다고 □.
	제주도에서 말을 □.
	우리 가족은 도시락을 □.
	농구는 키가 크는 □.

월 일 요일 확인

그림을 보고 문장에 어울리는 풀이말을 써 보세요.

〈예시〉  윤서가 종이비행기를 [날렸어요].

그림	문장
	수정이는 영화를 [ ].
	하진이는 지하철을 [ ].
	가영이가 감기에 [ ].
	지성이는 축구공을 [ ].
	아이들이 노래를 [ ].

월 일 요일 확인

우리말 약속

그림을 보고 문장에 어울리는 풀이말을 써 보세요.

	새가 둥지에 알을 (　　　　).
	어린이가 그림을 (　　　　).
	무서운 개가 멍멍 (　　　　).
	아기가 새근새근 잠을 (　　　　).
	관객들이 박수를 (　　　　).
	지훈이가 일찍 (　　　　).

우리말 약속

월 일 요일 확인

풀이말을 바꾸어 써 보세요.

하늘이 파랗습니다.

→ 하늘이 높습니다.

• 새가 날아갑니다. → 새가 ______________________
• 아기가 웃습니다. → 아기가 ______________________
• 사자가 잡니다. → 사자가 ______________________
• 해가 뜹니다. → 해가 ______________________
• 날씨가 춥습니다. → 날씨가 ______________________

선생님께 한마디 임자말에 어울리는 풀이말을 다양하게 활용하도록 지도해주세요.

소희의 일기

글마중

4월 17일 토요일 날씨: 맑음 제목: 산책

따뜻한 봄날이다. 우리 가족은 모두 산책을 하기로 했다. 맑은 공기도 마시고 예쁜 벚꽃을 구경했다. 동생과 자전거를 타고 놀았다.

5월 4일 화요일 날씨: 비 제목: 민속놀이

학교에서 민속놀이를 했다. 비가 와서 힘들었지만 그래도 참 재미있었다. 다음에는 아빠와 함께 참가하고 싶다.

6월 13일 일요일 날씨: 흐림 제목: 목욕놀이

동생과 함께 목욕놀이를 했다. 거품으로 코끼리도 만들고 고양이도 만들었다. 부드러운 거품 느낌이 참 좋다.

선생님께 한마디 한 친구가 제목을 붙여 쓴 여러 주제의 일기글이 나옵니다. 주제에 맞게 일기 쓰는 방법을 알기 위한 기초 활동을 다루고 있습니다.

신나는 글읽기

월 일 요일 확인

글마중을 읽고 무슨 요일에 쓴 일기인지 연결하세요.

봄날에 가족이 산책을 했다.		화요일
동생과 목욕놀이를 했다.		금요일
민속놀이를 했다.		토요일
		일요일

일기글과 제목을 연결해 보세요.

일기글		제목
우리 가족은 모두 산책을 했다. 맑은 공기도 마시고 예쁜 벚꽃을 구경했다.		민속놀이
학교에서 민속놀이를 했다. 비가 와서 힘들었지만 그래도 재미있었다.		산책
동생과 함께 목욕놀이를 했다. 거품으로 코끼리도 만들고 고양이도 만들었다.		알뜰바자회
		목욕놀이

월 일 요일 확인

이야기 돋보기

다음 글을 읽고 알맞은 답을 고르거나 쓰세요.

4월 17일 토요일 날씨: 맑음 제목: 산책

따뜻한 봄날이다. 우리 가족은 모두 산책을 하기로 했다. 맑은 공기도 마시고 예쁜 벚꽃을 구경했다. 동생과 자전거를 타고 놀았다.

1. 언제 쓴 일기입니까?

☐ 월 ☐ 일 ☐ 요일

2. 무엇에 관해 쓴 일기입니까? .... ( )

① 봄 ② 산책 ③ 가족 ④ 공기

3. 지금은 어떤 계절인가요? .... ( )

① 봄 ② 여름 ③ 가을 ④ 겨울

4. 소희 가족은 산책을 하며 무엇을 했나요?( ),( )

① 자장면을 먹었다. ② 벚꽃을 구경했다.
③ 수영을 했다. ④ 맑은 공기를 마셨다.

5. 소희는 동생과 무엇을 탔나요? ☐

이야기 돋보기

월 일 요일 확인

다음 글을 읽고 알맞은 답을 고르거나 쓰세요.

5월 4일 화요일 날씨: 비 제목: 민속놀이

학교에서 민속놀이를 했다. 비가 와서 힘들었지만 그래도 참 재미있었다. 다음에는 아빠와 함께 참가하고 싶다.

1. 언제 쓴 일기인가요?

☐ 월 ☐ 일 ☐ 요일

2. 일기를 쓴 날의 날씨는 어땠나요? ( )

① 눈이 왔다. ② 안개가 꼈다. ③ 비가 왔다.

3. 무엇에 관해 쓴 일기인가요? ☐

4. 민속놀이를 할 때 왜 힘들었나요? ( )

① 비가 와서 ② 눈이 와서 ③ 더워서 ④ 추워서

5. 민속놀이를 하니 느낌이 어땠나요? ( )

① 재밌었다 ② 슬펐다 ③ 화가 났다 ④ 지루했다

6. 다음에는 누구와 함께 참가하고 싶다고 했나요?

☐

월 일 요일 확인

이야기 돋보기

다음 글을 읽고 알맞은 답을 고르거나 쓰세요.

6월 13일 일요일 날씨: 흐림 제목: 목욕놀이

동생과 함께 목욕놀이를 했다. 거품으로 코끼리도 만들고 고양이도 만들었다. 부드러운 거품 느낌이 참 좋다.

1. 언제 쓴 일기인가요?

☐ 월 ☐ 일 ☐ 요일

2. 무엇에 관해 쓴 일기인가요?

☐

3. 누구와 함께 목욕놀이를 했나요? ( )

① 엄마 ② 아빠 ③ 동생 ④ 형

4. 무엇으로 코끼리를 만들었나요? ( )

① 찰흙 ② 색종이 ③ 거품 ④ 블록

5. 거품은 어떤 느낌인가요? ( ),( )

① 딱딱하다 ② 부드럽다
③ 까칠하다 ④ 참 좋다

월 일 요일 확인

'벚꽃'은 봄에 피는 꽃입니다. 봄에 피는 꽃 이름을 써 보세요.

봄에는 어떤 꽃이 필까요?
큰소리로 읽으면서 꽃 이름을 예쁘게 써 보세요.

<보기> 팬지 튤립 개나리 벚꽃

월 일 요일 확인

낱말 창고

봄에 피는 꽃 이름을 <보기>에서 골라 써 보세요.

<보기> 제비꽃 목련 수선화 진달래 민들레 할미꽃

뽐내기

월 일 요일 확인

일기를 쓸 때는 먼저 글감을 골라야 합니다.

어제 하루 동안 있었던 일을 곰곰이 생각해 써 보세요.

아침	○ ○
점심	○ ○
저녁	○ ○
밤	○ ○

여러 가지 일 중 한 가지만 글감으로 정해 제목을 써 보세요.

선생님께 한마디 아이들이 일기를 쓸 때 하루에 있었던 일 중에 쓰고 싶은 한 가지를 골라 글감으로 정하도록 해주세요.

민지의 일기

글마중

5월 27일 금요일 날씨: 맑음 제목: 알뜰바자회

학교에서 알뜰바자회를 했다. 나는 머리띠, 핸드백, 공책, 필통 등을 샀다. 산 물건이 모두 예뻤다. 알뜰바자회에서 산 물건이 마음에 들어서 좋았다.

6월 19일 토요일 날씨: 맑음 제목: 부침개

엄마와 함께 부침개를 만들었다. 밀가루에 계란을 풀고 김치도 넣었다. 동생도 주고 맛있게 먹었다. 즐거운 하루였다.

7월 3일 일요일 날씨: 흐림 제목: 토끼

오늘 할머니 댁에 놀러 갔다. 토끼가 새끼를 낳았다. 너무 예쁘고 귀여웠다. 한 마리 가져오고 싶었지만 못 가져왔다. 그래서 아쉬웠다.

신나는 글읽기

월 일 요일 확인

다음 문장을 보고 무슨 요일에 쓴 일기인지 연결하세요.

할머니 댁에서 토끼를 봤다.		목요일
엄마와 함께 부침개를 만들었다.		금요일
학교에서 알뜰바자회를 했다.		토요일
		일요일

일기글과 제목을 연결해 보세요.

학교에서 알뜰바자회를 했다. 나는 머리띠, 핸드백, 공책, 필통 등을 샀다.		민속놀이
엄마와 부침개를 만들었다. 밀가루에 계란을 풀고 김치도 넣었다.		부침개
오늘 할머니 댁에 놀러 갔다. 토끼가 새끼를 낳았다. 너무 예쁘고 귀여웠다.		알뜰바자회
		토끼

월 일 요일 

이야기 돋보기

다음 글을 읽고 알맞은 답을 고르거나 쓰세요.

5월 27일 금요일 날씨: 맑음 제목: 알뜰바자회

학교에서 알뜰바자회를 했다. 나는 머리띠, 핸드백, 공책, 필통 등을 샀다. 산 물건이 모두 예뻤다. 알뜰바자회에서 산 물건이 마음에 들어서 좋았다.

1. 언제 쓴 일기인가요?

☐ 월 ☐ 일 ☐ 요일

2. 무엇에 관해 쓴 일기인가요? ……………………………… ( )

① 학교 ② 알뜰바자회 ③ 머리띠 ④ 금요일

3. 학교에서 어떤 행사를 했나요? ☐

4. 민지가 산 물건을 모두 쓰세요.

☐, ☐, ☐, ☐

5. 민지는 알뜰바자회에서 산 물건을 어떻게 생각하나요?( )

① 싫지만 억지로 샀다. ② 모두 예쁘다.
③ 예쁘지는 않지만 쓸모 있다. ④ 마음에 든다.

이야기 돋보기

월 일 요일 확인

다음 글을 읽고 알맞은 답을 고르거나 쓰세요.

6월 19일 토요일 날씨: 맑음 제목: 부침개

엄마와 함께 부침개를 만들었다. 밀가루에 계란을 풀고 김치도 넣었다. 동생도 주고 맛있게 먹었다. 즐거운 하루였다.

1. 언제 쓴 일기인가요?

□ 월 □ 일 □ 요일

2. 민지는 엄마와 무엇을 만들었나요? □

3. 밀가루에 무엇을 풀었나요? ( )

① 계란 ② 우유 ③ 버터 ④ 설탕

4. 부침개에 어떤 재료를 넣었는지 3가지를 찾아 쓰세요.

□, □, □

5. 누구와 맛있게 먹었나요? ( )

① 언니 ② 동생 ③ 오빠 ④ 아빠

6. 하루를 어떻게 보냈나요? ( )

① 즐거웠다 ② 지루했다 ③ 기분 나빴다 ④ 심심했다

월 일 요일 확인

이야기 돋보기

다음 글을 읽고 알맞은 답을 고르거나 쓰세요.

7월 3일 일요일 날씨: 흐림 제목: 토끼

오늘 할머니 댁에 놀러 갔다. 토끼가 새끼를 낳았다. 너무 예쁘고 귀여웠다. 한 마리 가져오고 싶었지만 못 가져왔다. 그래서 아쉬웠다.

1. 7월 3일 날씨는 어땠나요? ………… ( )

① 맑음 ② 비 ③ 흐림 ④ 눈

2. 민지는 어디에 놀러갔나요? ………… ( )

① 외삼촌 댁 ② 할머니 댁 ③ 큰아버지 댁 ④ 친구 집

3. 토끼에게 어떤 일이 있었나요?

토끼가 [ ] 를 낳았다.

4. 아기 토끼는 어떻게 생겼나요? ………… ( ), ( )

① 귀여웠다 ② 못생겼다 ③ 징그럽다 ④ 예뻤다

5. 민지는 아기토끼를 어떻게 하고 싶었나요?

집에 한 마리 [ ] 싶었다.

6. 토끼를 집에 못 가져와서 기분이 어땠나요? ………… ( )

① 즐거웠다 ② 아쉬웠다 ③ 신났다 ④ 슬펐다

낱말 창고

월 일 요일 확인

'낳다' 와 '낫다'를 구분해 써 보세요.

낳다 → 아기, 새끼, 알을 낳다.

낫다 → 더 좋다. 좋아지다.

돼지가 새끼를 낳았어요.

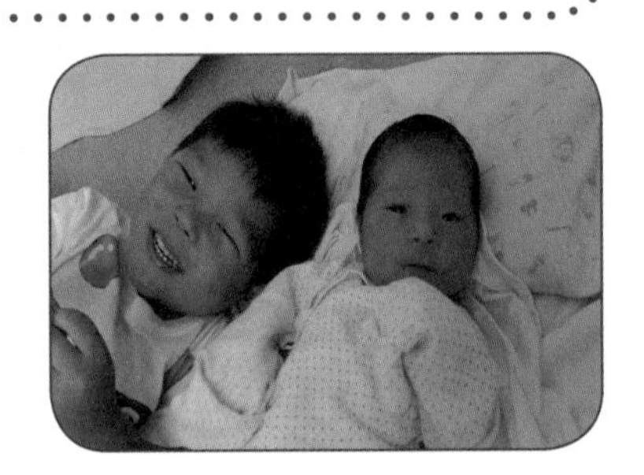

엄마가 동생을 낳았습니다.

난 겨울보다 여름이 더 낫더라.

약을 먹었으니 곧 낫겠죠?

다음을 읽고 어울리는 말을 골라 ○ 하세요.

1. 닭과 오리는 알을 (낫습니다. / 낳습니다.)
2. 약을 먹으면 감기가 곧 (낫겠지? / 낳겠지?)
3. 호랑이가 새끼를 (나았습니다. / 낳았습니다.)
4. 과자보다 싱싱한 과일을 먹는 것이 더 (낫다. / 낳다.)
5. 운동하니까 기분이 더 (낫다. / 낳다.)

월 일 요일 확인

아래에서 일기의 글감과 관련된 문장을 골라 밑줄 치고, 제목에 맞는 일기글을 써 보세요.

일기를 쓸 때는 먼저 글감을 고르고,
글감과 관련된 내용을 자세히 적습니다.

제목: 물놀이

- 아침에 일어나서 밥을 먹었다.
- 아침부터 날씨가 덥다.
- 줄넘기를 하고 숙제도 했다.
- 너무 더워서 엄마와 수영장에 갔다.
- 튜브를 타고 실컷 놀았다.
- 밤에 잠을 잤다.
- 물놀이를 하다가 핫도그도 사 먹었다.

선생님께 한마디 아이들은 주제와 관련 없는 문장을 쓰는 경우가 많습니다. 제목과 관련된 글을 찾아 쓰는 활동을 통해 제목에 맞는 일기글을 쓰는 방법을 알게 해 주세요.

글마중

진호의 일기

7월 3일 일요일 날씨: 맑음 제목:

교회에 가서 주일예배를 드렸다. 주일예배도 드리고 점심도 먹고 친구들과 아이스크림, 과자를 사 먹었다. 그동안 아파서 거의 못 먹었기 때문에 여러 가지를 엄청 먹었다.

7월 20일 토요일 날씨: 맑음 제목:

가족 모두 주말농장에서 감자를 캤다. 흙에서 무당벌레도 나오고 애벌레도 나와서 신기했다. 사마귀와 배추흰나비도 보았다.

8월 11일 목요일 날씨: 흐림 제목:

우리 가족은 공원에 가서 김밥을 먹고 운동기구도 탔다. 성현이도 와서 과자를 먹고 신 나게 운동을 했다. 내려오다가 정선기념관도 보았다. 재미있었다.

선생님께 한마디 일기를 읽고 중심내용을 찾아 제목을 붙여보는 활동을 하기 위해 제목 칸을 비워 두었습니다. 함께 제목을 붙여 보세요.

월 일 요일 확인

신나는 글읽기

다음 문장을 보고 무슨 요일에 쓴 일기인지 연결하세요.

공원에 가서 김밥도 먹고 운동도 했다. •	• 목요일
	• 금요일
교회에 가서 주일예배를 드렸다. •	• 토요일
주말농장에서 감자를 캤다. •	• 일요일

글마중을 보고 일기글에 맞는 제목을 연결하고 글마중 빈칸에 써 보세요.

우리 가족은 공원에 가서 김밥도 먹고 운동기구도 탔다. •	• 공원
교회에 가서 주일예배를 드렸다. 맛있는 것을 엄청 많이 먹었다. •	• 바다
	• 교회
가족 모두 주말농장에서 감자를 캤다. 무당벌레가 나와서 신기했다. •	• 주말농장

이야기 돋보기

월 일 요일 확인

다음 글을 읽고 알맞은 답을 고르거나 쓰세요.

7월 3일 일요일 날씨: 맑음 제목: ____________

교회에 가서 주일예배를 드렸다. 주일예배도 드리고 점심도 먹고 친구들과 아이스크림, 과자를 사먹었다. 그동안 아파서 거의 못 먹었기 때문에 여러 가지를 엄청 먹었다.

1. 언제 쓴 일기인가요?

   [ ] 월 [ ] 일 [ ] 요일

2. 어디에 가서 예배를 드렸나요? [ ]

3. 진호는 친구들과 무엇을 사 먹었나요? ( ), ( )

   ① 슬러시 ② 아이스크림 ③ 과자 ④ 점심

4. 그동안 왜 거의 못 먹었습니까? .... ( )

   ① 돈이 없어서 ② 아파서 ③ 먹기 싫어서

5. 일기 제목을 무엇이라고 하면 좋을까요? .... ( )

   ① 점심 ② 과자 ③ 친구 ④ 교회

월 일 요일 확인

이야기 돋보기

다음 글을 읽고 알맞은 답을 고르거나 쓰세요.

7월 20일 토요일 날씨: 맑음 제목: ____________

가족 모두 주말농장에서 감자를 캤다. 흙에서 무당벌레도 나오고 애벌레도 나와서 신기했다. 사마귀와 배추흰나비도 보았다.

1. 7월 20일은 무슨 요일인가요? [ ]

2. 진호 가족은 모두 어디에 갔나요? ( )

① 주말농장 ② 공원 ③ 시골 ④ 할머니 댁

3. 주말농장에서 무엇을 캤습니까? ( )

① 감자 ② 고구마 ③ 토란 ④ 무

4. 주말농장에서 본 곤충은 무엇인가요? 모두 ○하세요.

무당벌레	메뚜기	사마귀
애벌레	호랑나비	배추흰나비

5. 일기 제목을 무엇이라고 하면 좋을까요?

[ ]

낱말 창고

월 일 요일 확인

'래'와 '레'를 구분해 써 보세요. <보기>에서 골라 쓰세요.

<보기>

래 → 노래 빨래 고래 모래

레 → 무당벌레 애벌레 민들레 카레

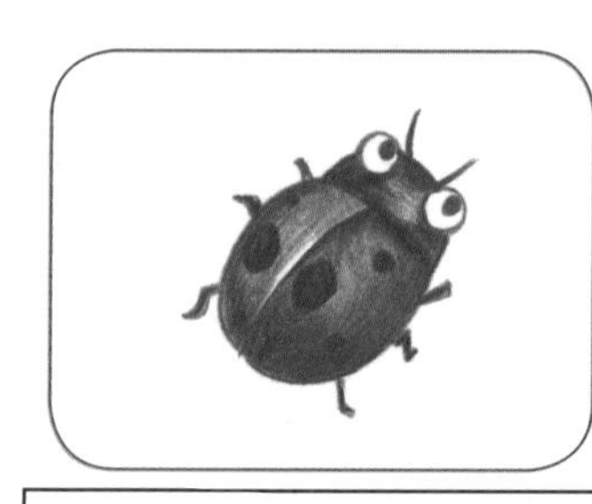

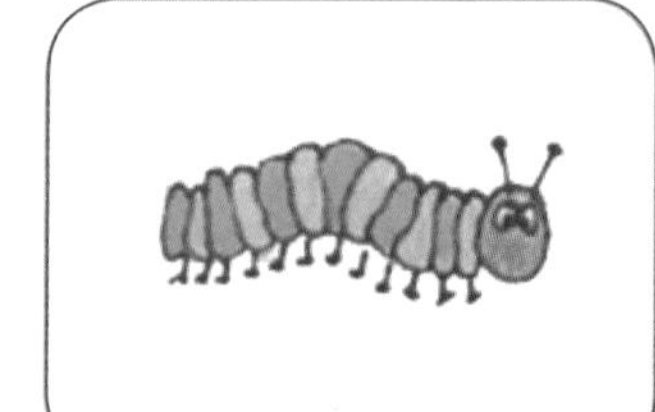

월 일 요일 확인

뽐내기

일기를 읽고 제목을 붙여 보세요.

오늘 이모가 놀러왔다. 이모가 케이크를 사 오셔서 맛있게 먹었다.
사촌동생과 재미있게 놀았다.

재민이네 집에서 닌텐도 게임을 했다. 볼링과 탁구, 농구를 했다.
내가 이겨서 기분이 좋았다.

큰아버지 농장에 갔다. 큰 젖소가 많았다.
아빠와 함께 소밥을 주었다. 소똥 냄새가 지독했다.

오빠 친구들이 집에 와서 연극 연습을 했다.
내가 장난으로 오빠들에게 물을 뿌렸다. 할아버지한테 혼났다.

선생님께 한마디 글을 읽고 중심단어를 찾아 ○한 후 제목을 붙이게 해주세요.

월 일 요일 확인

지난 주말에 있었던 일을 생각해보고 글감을 정해 보세요.

글감	
한 일	
느낌	

위 내용을 일기로 써 보세요.

월 일 요일 날씨:

월 일 요일 확인

우리말 약속

임자말과 풀이말을 찾아 문장 순서에 맞게 써 보세요.

달립니다. | 달리는 | 언니가

언니가 달립니다.

임자말 풀이말

문장을 쓸 때는 임자말+풀이말의 순서로 씁니다.

커다란 | 커다랗다. | 창문이

______ ______

맛있다. | 주먹밥이 | 맛있는

______ ______

부는 | 바람이 | 분다.

______ ______

자란다. | 자란 | 나무가

______ ______

우리말 약속

월 일 요일 확인

그림을 보고 문장에 어울리는 풀이말을 써 보세요.

<예시>

집배원은 편지를 배달합니다.
(임자말: 집배원은, 풀이말: 배달합니다)

	________ 도둑을 ________
	________ 동네를 ________
	________ 불을 ________
	________ 아픈 곳을 ________
	________ 공부를 ________

선생님께 한마디 풀이말을 쓰고 온점(.)을 찍도록 지도해주세요.

월 일 요일 확인

우리말 약속

그림을 보고 문장 순서에 맞게 한 문장으로 써 보세요.

<예시>  나는 자전거를 탔어요.
임자말 풀이말

우리말 약속

월 일 요일 확인

그림을 보고 '누가 무엇을 하는지' 한 문장으로 만들어 써 보세요.

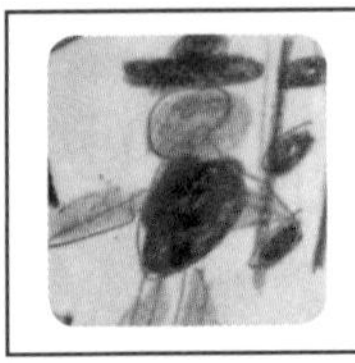

아빠가 고구마를 캤다.

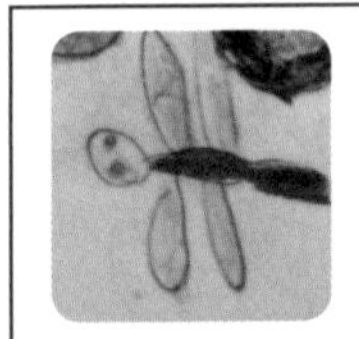

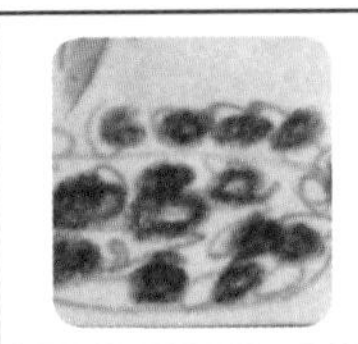

마음대로
그려 보세요

좋아하는
노랫말을
써 보세요

좋아하는
동시를
써 보세요

친구에게
쪽지를
써 보세요

★ 57쪽에 활용하세요.

★ 61쪽에 활용하세요.